Chatgpt Prompts: Domina tus Redes Sociales. La Guía Definitiva con +2000 Comandos Listos para Usar para Preguntar Todo lo que Quieras.

INTRODUCCIÓN

¿Qué es ChatGPT?

ChatGPT es un modelo de inteligencia artificial basado en el lenguaje natural desarrollado por OpenAI. Utiliza una arquitectura de aprendizaje profundo llamada GPT (Generative Pre-trained Transformer) para generar respuestas basadas en las indicaciones proporcionadas por los usuarios.
Este modelo se entrenó con un gran corpus de textos preexistentes, que abarcaban una amplia gama de temas y géneros textuales. Durante el entrenamiento, ChatGPT aprende a entender el contexto y a generar respuestas coherentes y pertinentes.

ChatGPT explota un mecanismo denominado "transformación" (Transformer) para analizar el texto de entrada y generar respuestas. Este enfoque permite al modelo comprender relaciones semánticas complejas y producir textos de alta calidad.

Sin embargo, es importante tener en cuenta que ChatGPT es un modelo estadístico y puede generar respuestas que no siempre sean precisas o pertinentes. La precisión de las respuestas puede variar en función de la calidad de la pregunta, el entrenamiento del modelo y la complejidad del tema. Utilice los siguientes consejos para acelerar drásticamente su comprensión de esta increíble herramienta:

1. Familiarícese con la plataforma: Empiece explorando ChatGPT y sus funcionalidades. Familiarízate con cómo funciona la plataforma, qué puede hacer y cómo puede ayudarte en tu negocio.
2. Defina sus objetivos: Determina qué quieres conseguir con ChatGPT. ¿Quiere generar ideas para un nuevo producto o servicio? ¿Quiere mejorar sus textos de marketing? ¿Necesita ayuda con el servicio de atención al cliente? Conocer sus objetivos le ayudará a centrar sus esfuerzos y sacar el máximo partido de la plataforma.
3. Practicar la generación de respuestas: Dedique tiempo a generar respuestas utilizando diferentes indicaciones y entradas. Cuanto más practiques, mejor se te dará crear indicaciones eficaces y

obtener respuestas pertinentes.

4. Afina tus indicaciones: A medida que vayas generando respuestas, analízalas detenidamente y busca áreas de mejora. Utiliza esta información para afinar tus indicaciones y lograr mejores resultados con el tiempo.
5. Aprenda de los errores: Recuerde que ChatGPT no es perfecto y puede generar respuestas irrelevantes o sin sentido. Utiliza estos errores como oportunidades de aprendizaje para mejorar tu orientación y obtener resultados más precisos.
6. Utiliza ChatGPT como herramienta, no como sustituto: Recuerda que ChatGPT es una herramienta para complementar tus conocimientos y habilidades. Utilízalo para generar ideas, aportar puntos de vista y fundamentar tus decisiones, pero no dependas totalmente de él.
7. Mantente al día de las nuevas funciones y actualizaciones: ChatGPT está en constante evolución, con nuevas características y actualizaciones que se publican regularmente. Mantente al día de estos cambios para aprovechar al

máximo la plataforma y su potencial.

Pregunta a ChatGPT

Para más detalles, consulte el chatGPT:

1. "¿Qué es ChatGPT y cómo funciona?"
2. "¿Cómo genera ChatGPT respuestas a mis preguntas?"
3. "¿Cuáles son los datos de entrenamiento que utiliza ChatGPT para generar respuestas?"
4. "¿Cómo aprende ChatGPT de mis aportaciones y mejora sus respuestas con el tiempo?".
5. "¿Cuáles son las mejores prácticas para utilizar ChatGPT con eficacia?"
6. "¿Hasta qué punto son precisas las respuestas generadas por ChatGPT y qué factores pueden influir en la precisión?".
7. "¿Puede ChatGPT entender entradas de lenguaje natural y cómo las interpreta?".
8. "¿Cuáles son las limitaciones de ChatGPT y qué tipos de entrada podrían no funcionar bien?".
9. "¿Cómo puedo evaluar la calidad de las respuestas generadas por ChatGPT?"
10. "¿Hay algún consejo o truco que pueda ayudarme a obtener mejores resultados al utilizar ChatGPT?".

Al hacer este tipo de preguntas, puede comprender mejor cómo funciona ChatGPT, qué puede hacer y cómo utilizarlo de forma más eficaz. Puede utilizar esta información para crear mensajes más eficaces, perfeccionar su entrada y generar respuestas más precisas y perspicaces con el tiempo.

¿Qué es un ChatGPT Prompt?

Un prompt para ChatGPT es una entrada textual o pregunta que se proporciona al modelo para obtener una respuesta. Se trata de una breve instrucción o descripción del contexto que se desea proporcionar al sistema. El mensaje debe estar redactado de forma clara y específica para que el modelo entienda lo que se le pregunta y pueda generar una respuesta coherente. Por ejemplo, "¿Cuáles son las ventajas del marketing digital para las pequeñas empresas?" o "Describa el proceso de optimización de los motores de búsqueda". La pregunta es esencial para obtener respuestas pertinentes y eficaces del

ChatGPT. Existen diferentes tipos de preguntas En este libro encontrará principalmente preguntas de finalización y preguntas de respuesta abierta.

Tipos de Prompts utilizados en este libro:

1. Preguntas abiertas: Las preguntas abiertas están diseñadas para obtener una amplia gama de respuestas e ideas de ChatGPT. Cuando utilices preguntas abiertas, intenta ser lo más general posible, evitando términos específicos o jerga que puedan limitar la variedad de respuestas que recibas.

Ejemplo: "¿Cuáles son algunas ideas innovadoras para mejorar la interacción con el cliente en mi sector?"

2. Indicaciones de finalización: Las indicaciones (de finalización) proporcionan una estructura que permite a ChatGPT generar respuestas específicas a sus necesidades. Cuando utilice las instrucciones de finalización, intente ser lo más específico posible,

proporcionando detalles claros de la información que desea recibir.

Ejemplo: "Quiero generar un correo electrónico de ventas centrado en **[inserte el nombre del producto]**. Qué puntos clave de venta debería incluir?".

Utilizando ambas combinaciones de promtp (ya preparadas para usted), puede generar una amplia gama de respuestas que se adapten a sus necesidades. Recuerda analizar estas respuestas cuidadosamente, refinando tus prompts y peticiones con el tiempo para obtener resultados mejores y más precisos. Con la práctica, podrás utilizar ChatGPT para generar percepciones e ideas increíbles que te ayudarán a alcanzar tus objetivos.

Otros tipos de Prompts para ChatGPT

Hay muchos tipos de avisos que puede utilizar con ChatGPT. He aquí algunos ejemplos:

1. Preguntas con espacios en blanco: Este

tipo de preguntas le permiten insertar información específica en una frase o pregunta. Por ejemplo: "Mi empresa ofrece **[producto/servicio]** para ayudar a los clientes a **[lograr un objetivo/beneficio]**".

2. Preguntas Sí/No: Este tipo de preguntas requieren que ChatGPT responda con un simple "Sí" o "No". Por ejemplo: "¿Cree que **[sector/nicho]** se está popularizando?" o "¿Ha utilizado **[producto/servicio]** antes?".
3. Preguntas de clasificación: este tipo de preguntas piden a ChatGPT que clasifique un conjunto de elementos según su preferencia o importancia. Por ejemplo, "Ordene estos **[productos/servicios]** de más popular a menos popular" o "¿Qué **[producto/servicio]** cree que es más valioso para los clientes?".
4. Preguntas sobre escenarios: Este tipo de preguntas requieren que ChatGPT proporcione una respuesta basada en un escenario o situación específicos. Por ejemplo, "¿Qué haría si un cliente se quejara de **[problema]**?" o "¿Cómo gestionaría una situación en la que se

produjera **[problema]**?".

5. Preguntas comparativas: Este tipo de preguntas requieren que ChatGPT compare o contraste dos o más elementos. Por ejemplo: "¿Qué diferencias hay entre **[producto A]** y **[producto B]**?" o "¿Qué **[estrategia de marketing]** crees que es más eficaz?".
6. Preguntas de predicción: En este tipo de preguntas se pide al ChatGPT que haga una predicción sobre un acontecimiento o tendencia futuros. Por ejemplo: "¿Cuál cree que será la principal **[tendencia/problema]** en **[sector/nicho] en los** próximos 5 años?" o "¿Cómo cree que se comportará **[producto/servicio]** en el mercado el año que viene?".
7. Preguntas explicativas: este tipo de preguntas requieren que ChatGPT explique un concepto o proceso. Por ejemplo: "¿Puedes explicar **[término técnico]** en palabras sencillas?" o "¿Cómo funciona **[producto/servicio]**?".
8. Preguntas de opinión: este tipo de preguntas requieren que ChatGPT exprese una opinión o punto de vista sobre un tema. Por ejemplo: "¿Qué opinas de **[tema controvertido]**?" o

"¿Crees que **[nueva tendencia/tecnología]** tendrá éxito en el mercado?".

9. Instrucciones: Este tipo de indicaciones requieren que ChatGPT proporcione instrucciones u orientación sobre una tarea o proceso específico. Algunos ejemplos son: "¿Cómo puedo **[realizar una tarea específica]**?" o "¿Cuáles son los pasos para **[completar un proceso específico]**?".
10. Preguntas de opinión: Este tipo de preguntas piden a ChatGPT que haga comentarios o sugerencias sobre un producto, servicio o idea. Por ejemplo: "¿Qué opina de mi **[sitio web/campaña de marketing]**?" o "¿Tiene alguna sugerencia para mejorar **[producto/servicio]?".**
11. Preguntas de empatía: Este tipo de preguntas requieren que ChatGPT muestre empatía o comprensión hacia un cliente o usuario. Por ejemplo: "Tengo problemas con **[problema]**, ¿puedes ayudarme?" o "Siento **[emoción]**, ¿qué puedo hacer para sentirme mejor?".

PROMPTS

1. Preguntas generales

1.1 Estudio e investigación de la competencia

Instrucciones de finalización:

1. Estos son los nombres de mis principales competidores en **[sector]**: **[competidor 1]**, [competidor **2]** y **[competidor 3]**. Haz un análisis de sus puntos fuertes y débiles y de su posición en el mercado.
2. Aquí tiene una lista de los principales productos o servicios que ofrecen mis principales competidores. [Producto **1]** de **[Empresa 1]**, **[Producto 2]** de **[Empresa 2]**. Analiza sus precios, características y estrategias de marketing para tener una visión en profundidad de su posición competitiva.
3. Proporcionar una lista de los canales de marketing utilizados por mis principales competidores. Analizar sus estrategias de mensajería, segmentación y captación de clientes para identificar áreas de mejora y obtener una ventaja competitiva.

Preguntas abiertas:

1. "¿Quiénes son mis principales competidores en el **[sector/nicho]** y cómo se comparan con **[mi empresa/producto]**?".
2. "¿Cuáles son los puntos fuertes y débiles de mis competidores y cómo puedo utilizar esta información para obtener una ventaja competitiva?".
3. "¿Qué tipo de **[productos/servicios]** ofrecen mis competidores y cómo se comparan con **[mi empresa/producto]**?".
4. "¿Qué tipo de **[estrategias de precios]** utilizan mis competidores y cómo se comparan con **[mi empresa/producto]**?".
5. "¿Qué tipo de **[estrategias de marketing]** utilizan mis competidores y cuál es su eficacia a la hora de **[generar clientes potenciales/atraer clientes]**?".
6. "¿Qué tipo de **[contenidos]** publican mis competidores y cómo puedo crear mejores contenidos para competir con ellos?".
7. "¿Qué tipo de **[presencia en las redes sociales]** tienen mis competidores y

cómo puedo aprovechar las redes sociales para competir con ellos?".

8. "¿Qué tipo de **[servicio/atención al cliente]** ofrecen mis competidores y cómo puedo mejorar mi servicio/atención al cliente para competir con ellos?".
9. "¿Qué tipo de **[estrategias SEO]** utilizan mis competidores y cómo puedo mejorar mi SEO para competir con ellos?".
10. "¿Qué tipo de **[asociaciones/colaboraciones]** tienen mis competidores y cómo puedo establecer relaciones similares para obtener una ventaja competitiva?".

1.2 Crear un plan de empresa

Instrucciones de finalización:

1. Escriba un plan de negocio para mi empresa llamada **[nombre de la empresa]** que venda **[producto]** a **[nicho]** y tenga **[objetivos]**.
2. Redacta un plan de empresa para mi empresa llamada **[nombre de la empresa]** que venda **[producto]** a

[nicho] y tenga **[objetivos]**. Incluye un resumen ejecutivo, cálculos financieros de los costes previstos, ventas y beneficios, y la misión y visión de la empresa. Utiliza un tono formal y datos estadísticos.

3. Quiero alcanzar **[objetivo]** con mi empresa y necesito objetivos de rendimiento para mi equipo. Escriba un resumen de los objetivos trimestrales y las funciones responsables de cada objetivo.
4. Elabore una lista de objetivos específicos, medibles y alcanzables para **[empresa o proyecto]** utilizando el marco OKR.
5. Convierte esta visión en un objetivo SMART: **[inserta la visión]**. Incluye los resultados y entregables más importantes.

Preguntas abiertas:

1. "¿Cuál es mi idea de negocio? Qué productos o servicios voy a ofrecer y en qué van a ser diferentes o únicos respecto a la competencia?".

2. "¿Quién es mi mercado objetivo? ¿Cuáles son sus necesidades y puntos críticos, y cómo los abordarán mis productos o servicios?".
3. "¿Cuál es mi estrategia de marketing y ventas? Cómo voy a llegar y captar a mi público objetivo y qué canales o tácticas voy a utilizar para promocionar mi negocio?".
4. "¿Cómo estructuraré y organizaré mi empresa? ¿Qué estructura jurídica utilizaré y cómo gestionaré las finanzas y las operaciones?".
5. "¿Cuáles son las previsiones y objetivos financieros? Cuántos ingresos espero generar el primer año y cómo invertiré en crecimiento y expansión a lo largo del tiempo?".
6. "¿Cuáles son los principales riesgos y retos a los que puede enfrentarse mi empresa, y cómo voy a mitigarlos o abordarlos?".
7. "¿Quiénes son los miembros clave de mi equipo y qué funciones y responsabilidades tendrán? Cómo contrataré y retendré a empleados con talento a medida que crezca la empresa?".

8. "¿Cuáles son mis objetivos a corto y largo plazo para la empresa, y cómo mediré el progreso y el éxito?".
9. "¿Cómo mantendré mi competitividad y me adaptaré a los cambios del mercado o del sector a lo largo del tiempo? Qué estrategias utilizaré para innovar y adelantarme a los tiempos?".
10. "¿Cómo voy a financiar la empresa y gestionar la tesorería? ¿Qué fuentes de financiación o inversión utilizaré y cómo gestionaré los gastos?".

1.3 Redactar propuestas para los clientes

Instrucciones de finalización:

1. Escriba una propuesta para mi **[cliente potencial]** que se enfrenta a **[puntos críticos]**. Estos son los **servicios que** ofrezco: **[enumere los servicios]**. La propuesta debe tener un estilo de redacción **[describa el tono]**.
2. Escriba una propuesta para mi potencial **[cliente]** que se enfrenta a **[puntos críticos]**. Estos son los **servicios** que ofrezco: **[enumere los servicios]**. Esta es

mi propuesta por **[precio]** y **[plazo]** de entrega. La propuesta debe tener un estilo de redacción **[describa el tono]**.

3. Voy a presentar un proyecto a **[inserte el nombre de la empresa/organización]** y tengo que redactar una propuesta. El proyecto se centra en **[inserte el ámbito del proyecto]**. ¿Cuáles son los principales resultados y el calendario del proyecto? ¿Cómo me aseguraré de que el proyecto satisface sus necesidades? Redacta una propuesta concisa y persuasiva.

Preguntas abiertas:

1. "¿Cómo pueden **[los servicios]** ayudar a una empresa cliente de **[sector] a** alcanzar sus objetivos?".
2. "¿Cómo puede una empresa del sector **[industrial] diferenciarse** de la competencia?".
3. "¿Cómo podemos ayudar a un **[tipo de empresa] a** mejorar la eficiencia y productividad de otra empresa?".
4. "¿Qué soluciones puede aportar un **[tipo de empresa]** para abordar cualquier

punto de dolor o reto actual en el mercado?".

5. "¿Cómo puede un **[tipo de empresa]** ayudar a un cliente a ampliar su base de clientes y llegar a nuevos mercados?".
6. "¿Qué medidas puede adoptar una **[tipo de empresa]** para mejorar la satisfacción y fidelidad de sus clientes?".
7. "¿Cómo podemos mantener nuestros **[tipos de servicios]** un paso por delante de las tendencias y la innovación del sector?".
8. "¿Cómo puede **[tipo de industria]** demostrar el retorno de la inversión y el impacto potencial de sus servicios a los clientes?".

1.4 Visión de la empresa

Instrucciones de finalización:

Generar una visión corporativa que incluya:

Introducción: "Nuestra visión es [inserte **su visión corporativa, como "cambiar el mundo", "revolucionar la industria" o "transformar vidas"]**. Valores: Creemos en [inserte su **primer**

valor, como 'innovación', 'excelencia' o 'integridad'], [inserte su **segundo valor]** y **[inserte su tercer valor]**. Estos valores guían nuestras acciones y decisiones a medida que avanzamos hacia nuestra visión. Llamamiento a la acción: Únase a nosotros mientras trabajamos para [inserte su **visión corporativa en acción, como "crear un futuro mejor", "inspirar el cambio" o "marcar la diferencia"]**. Información de contacto: Póngase en contacto con nosotros a través de [inserte su **método de contacto preferido, como teléfono, correo electrónico o chat]** en **[inserte la dirección de correo electrónico o el número de teléfono de su equipo]** si desea saber más. Cierre: Atentamente, **[inserte su nombre]**. Voy a presentar un proyecto a [inserte el **nombre de la empresa/organización]** y tengo que redactar una propuesta. El proyecto se centra en **[inserte el ámbito del proyecto]**. ¿Cuáles son los principales resultados y el calendario del proyecto? ¿Cómo me aseguraré de que el proyecto satisface sus necesidades? Redacta una propuesta concisa y persuasiva.

Preguntas abiertas:

1. "Genera una visión corporativa que encapsule el propósito y la dirección de mi empresa".
2. "Tener una sesión de brainstorming con algunas ideas para la visión corporativa de mi empresa".
3. "¿Qué tipo de impacto quiero que tenga mi empresa en el mundo?".
4. "¿Qué valores quiero que encarne mi empresa?".
5. "¿Qué tipo de cultura quiero crear en mi empresa?".
6. "¿Qué tipo de clientela quiero atraer a mi empresa?".
7. "¿Qué tipo de legado quiero que deje mi empresa?".
8. "Perfeccionar mi visión corporativa incluyendo indicaciones más específicas relacionadas con los objetivos, valores y público de mi empresa".

9. "Comparar y contrastar diferentes versiones de mi visión corporativa para ver cuál resuena más".
10. "Obtener opiniones sobre la visión de mi empresa introduciéndola en Chat GPT para evaluar su claridad, concisión y eficacia general".

1.5 Generar ideas de negocio

Instrucciones de finalización:

1. "¿Puede sugerirnos algunas ideas de negocio actualmente en demanda?"
2. "¿Puede sugerirnos algunas ideas de negocio actualmente demandadas en la industria o el país **[inserte la industria o el país]**?".
3. "Busco ideas de negocio que requieran una inversión mínima. ¿Qué me sugiere?"
4. "¿Cuáles son algunas ideas de negocio innovadoras y únicas?"
5. "Dirijo este tipo de negocio **[describa el negocio].** Qué nuevos productos y servicios puedo ofrecer a mis clientes?".

6. "¿Puede recomendar algunas ideas de negocio para una start-up con recursos limitados?"
7. "Estoy interesado en crear una empresa en **[insertar sector].** ¿Qué ideas tiene para mí?".
8. "¿Cuáles son algunas ideas de negocio con alto potencial de crecimiento?"
9. "Me gusta **[insertar pasiones e intereses]**. ¿Qué tipo de actividades podría crear?".
10. "Se me da bien **[insertar habilidades y experiencia].** ¿Qué tipo de actividades podría crear?"
11. "Busco ideas de negocio que sean sostenibles desde el punto de vista medioambiental. ¿Puede ayudarme?"
12. "Estoy buscando ideas de negocio que pueda llevar a cabo desde casa. ¿Puedes ayudarme?"
13. "¿Puede sugerirnos algunas ideas de negocio para una ciudad pequeña o una zona rural?".
14. "Estoy interesado en crear una empresa en el sector **[insertar nicho]**. ¿Qué ideas tiene para mí?".
15. "¿Puede recomendarme algunas ideas de negocio adecuadas para principiantes?"

16. "Quiero montar un negocio en **[insertar sector]**, pero no sé por dónde empezar. ¿Tienes alguna idea?"
17. "¿Cuáles son algunas ideas de negocio fáciles de escalar?".
18. "¿Puede sugerir algunas ideas de negocio populares con **[insertar mercado objetivo]**?".
19. "Estoy buscando ideas de negocio que tengan un impacto social. ¿Qué me sugieres?"

1.6 Preparar la presentación a los inversores

Instrucciones de finalización:

Puedes utilizar ChatGPT para simular situaciones y perfeccionar tu presentación. Aquí tienes 10 ejemplos de cómo puedes escribir escenarios y solicitar comentarios sobre tu presentación.

Escenarios para proponer:

1. Imagina que estás presentando a un inversor una nueva aplicación móvil que ayuda a la gente a controlar su consumo

diario de agua. Explica el problema que resuelve la aplicación y a qué público va dirigida.

2. Vas a presentar a un inversor una nueva línea de moda ecológica. Describa las características únicas de la ropa y cómo benefician al medio ambiente, y comparta sus planes de comercialización y distribución.
3. Imagina que presentas a un inversor una nueva plataforma de software que automatiza el proceso de cuentas por pagar para pequeñas empresas. Explica los puntos críticos que resuelve el software y cómo ahorra tiempo y dinero a los empresarios.
4. Presenta a un inversor un nuevo sustituto de la carne de origen vegetal. Describa los beneficios nutricionales del producto y cómo se compara con la carne tradicional en términos de sabor y textura, y comparta sus planes de producción y distribución.
5. Imagina que estás presentando a un inversor una nueva plataforma de telemedicina que conecta a pacientes con profesionales sanitarios a través de una videollamada. Describa el problema

que resuelve la plataforma y cómo beneficia a pacientes y proveedores, y comparta sus planes de comercialización y ampliación de la plataforma.

6. Vas a presentar a un inversor un nuevo servicio que ayuda a las personas a encontrar una vivienda asequible en ciudades de alto coste. Explica el problema que resuelve el servicio y a qué público va dirigido, y comparte tus planes de ingresos y crecimiento.
7. Imagina que estás presentando a un inversor una nueva plataforma de redes sociales que da prioridad a la privacidad y la seguridad de los datos de los usuarios. Describa las características de la plataforma que la diferencian de otras redes sociales y comparta sus planes de captación de usuarios y monetización.
8. Vas a presentar a un inversor una nueva plataforma de comercio electrónico que pone en contacto a consumidores con artesanos y artistas locales. Explica el problema que resuelve la plataforma y cómo beneficia tanto a los consumidores como a los artesanos, y comparte tus planes de marketing y expansión.

9. Imagine que presenta a un inversor un nuevo mercado en línea de bienes de consumo sostenibles y éticos. Describa las características únicas del mercado y cómo beneficia tanto a consumidores como a productores, y comparta sus planes de crecimiento e impacto.
10. Vas a presentar a un inversor una nueva plataforma basada en blockchain que ayuda a las pequeñas empresas a acceder a financiación de una red mundial de inversores. Explique el problema que resuelve la plataforma y cómo beneficia a las pequeñas empresas y a los inversores, y comparta sus planes para ampliar la plataforma.

1.7 Contratación y liderazgo

Instrucciones de finalización:

1. ¿Cómo puedo crear un mensaje personalizado para un recién contratado en **[función]** que destaque sus habilidades únicas y sus contribuciones al equipo de **[tipo de empresa]**, al tiempo que le haga sentirse valorado y respaldado en su nuevo puesto?

2. ¿Cuál sería un buen mensaje de bienvenida para un nuevo miembro del equipo de **[detalles de la empresa]**, en el que se le diera una breve visión general de la cultura, los valores y los objetivos de nuestra empresa?
3. ¿Cómo puedo crear una experiencia de integración divertida y atractiva para un nuevo empleado en **[tipo de empresa], que** incluya oportunidades para conocer a los compañeros, familiarizarse con nuestra cultura de empresa y comprender su función y sus responsabilidades en **[función]**?
4. ¿Cómo puedo crear un mensaje para un nuevo **empleado que** muestre el compromiso de nuestra **empresa** con la diversidad, la igualdad y la inclusión, haciéndole sentir bienvenido y valorado como miembro de nuestro equipo?

Preguntas abiertas:

1. "Imagine que va a contratar a un nuevo representante de atención al cliente. ¿Cuáles son las principales aptitudes y cualidades que buscaría en un candidato? ¿Qué preguntas le harías

para evaluar su capacidad para atender las consultas de los clientes y resolver problemas?".

2. "Están contratando a un nuevo desarrollador de software. ¿Qué conocimientos técnicos y experiencia son importantes para este puesto? ¿Qué preguntas le harías para evaluar sus habilidades de programación y resolución de problemas?".
3. "Imagine que contrata a un nuevo director de marketing. ¿Qué experiencia y cualificaciones son esenciales para este puesto? ¿Qué preguntas le harías para evaluar su comprensión de tu mercado objetivo y su capacidad para desarrollar estrategias de marketing eficaces?"
4. "Está contratando a un nuevo representante de ventas. ¿Qué rasgos y cualidades buscaría en un candidato para este puesto? ¿Qué preguntas le harías para evaluar sus dotes de comunicación y persuasión, así como su capacidad para alcanzar los objetivos de ventas?"
5. "Imagine que contrata a un nuevo director de RRHH. ¿Qué experiencia y

cualificaciones son esenciales para este puesto? ¿Qué preguntas le harías para evaluar su conocimiento de las mejores prácticas de RRHH y su capacidad para gestionar las relaciones con los empleados?"

6. "Van a contratar a un nuevo contable. ¿Qué conocimientos técnicos y experiencia son importantes para este puesto? ¿Qué preguntas le harías para evaluar sus conocimientos de los principios contables y su capacidad para analizar estados financieros?".
7. "Imagine que contrata a un nuevo diseñador gráfico. ¿Qué experiencia y cualificaciones son esenciales para este puesto? ¿Qué preguntas le harías para evaluar sus aptitudes creativas y su capacidad para trabajar en colaboración con otros miembros del equipo?".
8. "Está contratando a un nuevo jefe de proyecto. ¿Qué rasgos y cualidades buscaría en un candidato para este puesto? ¿Qué preguntas le harías para evaluar sus dotes de liderazgo y organización, así como su capacidad para gestionar plazos y presupuestos?" "Imagina que estás contratando a un

nuevo auxiliar administrativo. ¿Qué habilidades y cualidades son importantes para este puesto? ¿Qué preguntas le harías para evaluar sus dotes de organización y su capacidad para gestionar múltiples tareas y prioridades?".

9. "Están contratando a un nuevo analista de datos. ¿Qué conocimientos técnicos y experiencia son importantes para este puesto? Qué preguntas le harías para evaluar su capacidad para analizar e interpretar datos, y su experiencia con herramientas y técnicas de visualización de datos?".

1.8 Redactar un resumen de la reunión

Instrucciones de finalización:

1. Resuma los cinco puntos principales que se desprenden de estas notas de la reunión: **[copiar y pegar notas]**.
2. Resuma las decisiones tomadas y los próximos pasos esbozados en estas notas de reunión: **[copiar y pegar notas]**.

3. Resuma los principales puntos planteados, las soluciones propuestas y los departamentos responsables en estas notas de reunión: **[copiar y pegar notas]**.

Preguntas abiertas:

1. "¿Podría resumir los principales puntos tratados en la reunión de hoy? **[copia y pega la transcripción de la reunión]**".
2. "Le agradecería que me hiciera un breve resumen de esta reunión que acaba de terminar. **[copiar y pegar la transcripción de la reunión]**".
3. "¿Podrías escribir un resumen de la reunión que hemos tenido antes? Quiero asegurarme de que no me he perdido nada importante: **[copia y pega la transcripción de la reunión].**"
4. "Por favor, resuma los puntos clave de esta reunión: **[copie y pegue la transcripción de la reunión]**".
5. "¿Podría preparar un resumen de la reunión que pueda compartir con otras partes interesadas? Aquí está la transcripción de las grabaciones: **[copia**

y pega la transcripción de la reunión]."

6. "Tengo que enviar un correo electrónico de seguimiento a todos los que asistieron a esta reunión. **[copia y pega la transcripción de las grabaciones].** ¿Puedes escribir un resumen que pueda incluir en el correo electrónico?".

2 Marketing por correo electrónico

2.1 Generar objetos por correo electrónico

Instrucciones de finalización:

1. Este es un correo electrónico de ventas que escribí **[insertar correo electrónico o describir correo electrónico]**. Busca una línea de asunto que sea **[adjetivo]** y **[adjetivo]**.

2. Nuestro **[producto o servicio]** es la solución perfecta para **[punto débil]** al que se enfrentan muchos de nuestros clientes. Ofrece [ventaja **1]**, [ventaja **2]** y **[ventaja 3], por** lo que es imprescindible para **[público objetivo X]**. Escribe un correo electrónico de ventas que destaque el producto/servicio y anime a los clientes a pasar a la acción.

3. Lanzamos **[producto].** Está diseñado para **[público]**. Estas son las tres principales características/beneficios **[Elemento]**, **[Elemento]**. Redacte un

correo electrónico de ventas en el que invite al lector a comprar el producto con un descuento **del [porcentaje]%**.

Preguntas abiertas:

1. "¿Cuáles son algunos elementos pegadizos para un correo electrónico sobre **[producto/servicio/industria]**?".
2. "¿Cómo puedo crear objetos llamativos que fomenten la apertura y los clics?".
3. "¿Cuáles son algunas formas de utilizar el humor o el ingenio en las líneas de asunto de los correos electrónicos?".
4. "¿Cómo puedo crear objetos que respondan a los intereses y necesidades de mi público objetivo?".
5. "¿Cuáles son algunas formas de utilizar la personalización en los asuntos de los correos electrónicos para aumentar las tasas de apertura?".
6. "¿Puede sugerir algunos artículos que incorporen el principio del miedo a perderse algo (FOMO)?".
7. "¿Cuáles son algunos elementos eficaces para reactivar a los abonados o clientes inactivos?".

8. "¿Cómo puedo crear objetos que sean a la vez claros e intrigantes, sin ser demasiado largos?".

2.2 Crear un correo electrónico de ventas

Instrucciones de finalización:

Nuestro **[producto o servicio]** es la solución perfecta para **[problema]** al que se enfrentan muchos de nuestros clientes. Ofrece **[ventaja 1]**, [ventaja **2]** y **[ventaja 3]** que lo hacen indispensable para **[público objetivo X]**. Redacta un correo electrónico de ventas que destaque el producto/servicio y anime a los clientes a pasar a la acción.

1. Lanzamos **[producto].** Está diseñado para **[público]**. Estas son las tres principales características/beneficios: **[Elemento 1**] **[Elemento 2**] **[Elemento 3]**. Escribe un correo electrónico de ventas en el que invites al lector a comprar un producto con un descuento **del [porcentaje]%**. "

2. Genere un correo electrónico de ventas para clientes potenciales que incluya:

   Saludo: Hola **[nombre del destinatario]**, Presentación: Somos **[inserte el nombre de su empresa]** y estamos especializados en **[inserte el nombre de su producto/servicio]**. Ventajas: Nuestro [inserte el nombre de su producto/servicio] ofrece varios beneficios, entre ellos **[inserte el primer beneficio]**, [inserte el **segundo beneficio]** y **[inserte el tercer beneficio]**. Llamada a la acción: [Inserte **una llamada a la acción clara y convincente, como "Reserve una demostración hoy mismo" o "Regístrese para una prueba gratuita"]**. Sentido **de urgencia o escasez:** Actúe ahora para [inserte **un sentido de urgencia o escasez, como "aproveche nuestra oferta por tiempo limitado" o "únase a nuestro programa exclusivo mientras queden plazas disponibles"]**. Información de contacto: Si tiene alguna pregunta o necesita más información, póngase en contacto con nosotros a través de [inserte **su método de contacto preferido, como**

teléfono, correo electrónico o chat] en **[inserte la dirección de correo electrónico o el número de teléfono de su equipo]**. Saludos: Gracias, **[inserte su nombre]**".

Preguntas abiertas:

1. ¿Puede ayudarme a redactar un asunto convincente que anime al destinatario a abrir mi correo electrónico de ventas?".
2. "¿Cómo puedo crear una frase inicial pegadiza que capte el interés del lector?".
3. "¿Cuáles son algunas formas de establecer credibilidad y generar confianza con el lector en un correo electrónico de ventas?".
4. "¿Puedes sugerir algunas técnicas para crear una sensación de urgencia o escasez en un correo electrónico de ventas?".
5. "¿Cómo puedo utilizar la narración para crear un vínculo emocional con el lector y persuadirle para que actúe?".
6. ¿Cuáles son algunas formas eficaces de destacar las ventajas y el valor único de mi producto o servicio en un correo electrónico de ventas?".

7. "¿Puedes ayudarme a crear una llamada a la acción clara y convincente que anime al lector a dar el siguiente paso?".
8. "¿Cuáles son algunas formas de personalizar un correo electrónico de ventas y hacerlo más relevante para las necesidades e intereses del destinatario?".
9. "¿Cómo puedo utilizar pruebas sociales o testimonios en un correo electrónico de ventas para generar credibilidad y confianza en el lector?".
10. "¿Puedes sugerir formas de hacer un seguimiento y mantener el contacto con el lector después de enviar un correo electrónico de ventas, sin ser demasiado insistente o agresivo?".

2.3 Escribir un correo electrónico de integración

Instrucciones de finalización:

1. Genere un correo electrónico de integración para los clientes después de que hayan realizado una compra. El correo electrónico debe comenzar con un saludo que incluya el nombre del

cliente, exprese gratitud por la compra de **[inserte el nombre de su producto/servicio]** y proporcione una lista de pasos de integración recomendados, incluyendo **[inserte su primer paso]**, **[inserte su segundo paso]** y **[inserte su tercer paso]**. El correo electrónico también debe ofrecer ayuda de su equipo y proporcionar información de contacto para ponerse en contacto, incluyendo [inserte **su método de contacto preferido]** y **[inserte la dirección de correo electrónico o el número de teléfono de su equipo]**. Utiliza **[inserta tu nombre] como** firma del correo electrónico.

2. Escribir un correo electrónico de bienvenida a mis clientes tras la compra de **[nombre del producto]**. Felicíteles por su compra e invíteles a mantener el contacto para seguir ayudándoles a resolver **[problema]**.

Preguntas abiertas:

1. "Redactar un correo electrónico de integración para un nuevo cliente que

incluya una breve descripción general de nuestros productos y servicios".

2. "¿Puedes redactar un correo electrónico de bienvenida para los nuevos clientes de nuestra empresa y proporcionarles información importante sobre la configuración de su cuenta?".
3. "Redactar un correo electrónico de integración explicando el proceso de acceso y uso de nuestros productos y servicios".
4. "¿Puede redactar un correo electrónico explicando nuestras políticas y procedimientos de atención al cliente y facturación?".
5. "Escribir un correo electrónico de integración presentando a los nuevos clientes a nuestro equipo y proporcionando información de contacto para cualquier pregunta o duda".
6. "¿Puedes crear un correo electrónico de integración que destaque la importancia de la satisfacción del cliente y nuestro compromiso con su éxito?".
7. "Redacta un correo electrónico que ofrezca una cronología de los acontecimientos e hitos del proceso de integración del cliente".

8. "¿Puedes redactar un correo electrónico que anime a los nuevos clientes a hacer preguntas y buscar ayuda durante el proceso de integración?".
9. "Redactar un correo electrónico de integración que destaque los recursos y herramientas a disposición de los nuevos clientes para una experiencia de integración satisfactoria."

2.4 Escribir un correo electrónico para recuperar un carro abandonado

Instrucciones de finalización:

1. Genere un correo electrónico de carrito de la compra abandonado para clientes potenciales que incluya:

   Saludo: Hola **[nombre del destinatario]**, Recordatorio: Ha dejado **[inserte el nombre de su producto/servicio]** en su carrito. Ventajas: Nuestro [inserte el nombre de su producto/servicio] ofrece **[inserte el primer beneficio]**, [inserte el **segundo beneficio]** y **[inserte el tercer**

beneficio]. Llamada a la acción: Complete su compra y disfrute de [inserte **su oferta o incentivo]**. Información de contacto: Póngase en contacto con nosotros a través de [inserte su **método de contacto preferido, como teléfono, correo electrónico o chat]** en **[inserte la dirección de correo electrónico o el número de teléfono de su equipo]** si necesita ayuda. Firma: Gracias, **[inserte su nombre]**".

2. Escribe una secuencia de 3 correos electrónicos a clientes potenciales que hayan iniciado una compra de **[producto]** pero no la hayan completado. Utiliza la urgencia indicando que el descuento **del [porcentaje]%** caducará en 48 horas y emplea un tono lúdico en los correos electrónicos.

Preguntas abiertas:

1. "Escriba un correo electrónico de recuperación del carrito de la compra

abandonado a los clientes potenciales animándoles a completar la compra".

2. "¿Puedes redactar un correo electrónico que recuerde a los clientes potenciales los artículos que quedan en su cesta de la compra y ofrezca incentivos para completar la compra?".
3. "Redacta un email de recuperación del carrito abandonado destacando las ventajas de los productos del carrito abandonado".
4. "¿Puedes redactar un correo electrónico que aborde las razones más comunes del abandono de carritos y ofrezca soluciones?".
5. "Redacta un email de recuperación de carrito abandonado ofreciendo una promoción o descuento especial para incentivar la compra".
6. "¿Puedes crear un correo electrónico de recuperación del carrito abandonado que haga hincapié en la comodidad y la seguridad del proceso de pago?".
7. "Escribe un correo electrónico presentando productos similares o complementarios que puedan interesar al cliente".

8. "¿Puedes redactar un correo electrónico con una oferta por tiempo limitado para animar al cliente a completar la compra?".
9. "Redacta un correo electrónico de recuperación de carritos abandonados que incluya testimonios o reseñas de clientes para generar confianza y credibilidad".
10. "¿Puedes crear un correo electrónico que concluya expresando gratitud por la consideración del cliente y reitere los beneficios de completar la compra?".

2.5 Generar un boletín

Instrucciones de finalización:

Analiza el tono de voz y el estilo de redacción de este texto: **[inserta un texto que represente tu tono de voz y tu estilo de redacción].**
Utiliza ese tono de voz y ese estilo de redacción para escribir un correo electrónico que **[email description].**

Creación de un boletín semanal: Saludo: Hola **[nombre del destinatario]**, Actualización: ¡Tenemos noticias muy interesantes para ti! Contenido: Nuestro **[inserte lo que desee destacar]** está en línea y puede echarle un vistazo aquí **[inserte el enlace]** Beneficios: Esto le ayudará [inserte el **primer beneficio]**, [inserte el **segundo beneficio]** y **[inserte el tercer beneficio]**. Llamada a la acción: Si quieres **[beneficio principal]** sin **[objeción principal]**, esto es definitivamente para ti. Cierre: Hasta pronto, **[inserte su nombre].**

Preguntas abiertas:

1. "Redactar un boletín semanal por correo electrónico para nuestros clientes destacando nuevos productos, promociones y eventos".
2. "¿Puedes redactar un correo electrónico con un breve resumen de los artículos y contenidos más populares de la semana pasada?".
3. "Escribe un boletín semanal por correo electrónico que muestre historias de éxito y testimonios de clientes".

4. "¿Puedes redactar un correo electrónico que incluya noticias y tendencias del sector relevantes para nuestros clientes?".
5. "Escribe un boletín semanal por correo electrónico que ofrezca consejos y recursos para ayudar a los clientes a alcanzar sus objetivos".
6. "¿Puede crear un correo electrónico presentando promociones y descuentos especiales para nuestros productos y servicios?".
7. "Escribir un correo electrónico destacando los próximos eventos, seminarios web y talleres para nuestros clientes".
8. "¿Puede redactar un correo electrónico ofreciendo un avance de los nuevos productos y funciones en desarrollo?".
9. 'Redactar un boletín semanal por correo electrónico...

2.6 Redactar un correo electrónico de bienvenida al cliente

Instrucciones de finalización:

1. Escriba un correo electrónico para dar la bienvenida a los nuevos clientes de **[describa la empresa]**.

2. Escriba un correo electrónico para dar la bienvenida a los nuevos clientes, proporcionándoles sus datos de acceso e informándoles de que pueden ponerse en contacto con nosotros si tienen alguna pregunta en **[insertar el correo electrónico del servicio de atención al cliente]**.

3. Escribir un correo electrónico de bienvenida para los nuevos suscriptores de mi lista, dándoles las gracias por elegir suscribirse y haciéndoles saber que les enviaré información valiosa en los próximos días.

Preguntas abiertas:

1. "Redactar un correo electrónico de bienvenida para nuevos clientes en el que se ofrezca una visión general de nuestros productos y servicios".
2. "¿Puedes escribir un correo electrónico de bienvenida para los nuevos clientes

ofreciéndoles apoyo en su experiencia de integración?".

3. "Escriba un correo electrónico de bienvenida describiendo el proceso para acceder y utilizar nuestros productos y servicios".
4. "¿Puedes redactar un correo electrónico presentando al cliente a nuestro equipo y facilitando información de contacto para cualquier pregunta o duda?".
5. "Escriba un correo electrónico de bienvenida en el que destaque la importancia de la satisfacción del cliente y nuestro compromiso con su éxito".
6. "¿Puedes crear un correo electrónico que ofrezca una cronología de eventos e hitos en el proceso de integración del cliente?".
7. "Escribe un correo electrónico destacando los recursos y herramientas disponibles para los nuevos clientes para una experiencia de integración exitosa".
8. "¿Puede redactar un correo electrónico explicando nuestras políticas y procedimientos de atención al cliente y facturación?".
9. "Redacta un correo electrónico de bienvenida que anime a los nuevos

clientes a hacer preguntas y buscar apoyo durante el proceso de integración".

10. "¿Puedes crear un correo electrónico que concluya expresando entusiasmo por la llegada del nuevo cliente y reiterando nuestro compromiso con su éxito?".

2.7 Correo electrónico en frío

Avisos de finalización:

1. Escriba un correo electrónico para un **[descripción del cliente potencial]** que se enfrenta a **[problemas]** y **desea [deseo]**. Mencione que mi oferta es [descripción de la **oferta]**, la garantía es **[insertar garantía]** y mis credenciales son **[insertar credenciales]**. Invítale a concertar una llamada conmigo. Utiliza un tono amistoso y haz que el correo electrónico sea breve.
2. Escribe un correo electrónico de prospección de 200 palabras que incluya:

Saludo: Hola **[nombre]** Oferta: Podemos conseguirte 10 citas en la próxima semana, de lo contrario no pagas Credenciales: Hemos trabajado con 83 clientes en el mismo nicho que tú Llamada a la acción: Si estás interesado, responde a este correo y te enviaré mi calendario.

Preguntas abiertas:

1. "¿Puedes escribir un correo de prospección para clientes potenciales que empiece por "Estimado **[cliente potencial]**"?
2. "Escribir un correo electrónico de prospección para clientes potenciales que incluya una frase sobre nuestra empresa: "Somos **[nombre de la empresa]** y estamos especializados en **[especialidad de la empresa]".**
3. "¿Puedes crear un correo electrónico de prospección para clientes potenciales explicando las ventajas exclusivas de nuestros productos/servicios?".
4. "Escriba un correo electrónico de prospección a clientes potenciales que

incluya una oferta especial: "¡Aproveche hoy mismo nuestra **[oferta especial]**!".

5. "¿Puedes redactar un correo electrónico de prospección para clientes potenciales que haga hincapié en nuestro compromiso con la satisfacción del cliente?".
6. "Escriba un correo electrónico de prospección a clientes potenciales que incluya una llamada a la acción: "¡Contáctenos hoy mismo para saber más!".
7. "¿Puedes escribir un correo de prospección para clientes potenciales que destaque los valores y la misión de nuestra empresa?".
8. "Escriba un correo electrónico de prospección para clientes potenciales que incluya testimonios de clientes: "Descubra lo que nuestros clientes satisfechos dicen de nosotros...".
9. "¿Puedes crear un correo electrónico de prospección para clientes potenciales explicándoles por qué deberían elegirnos a nosotros y no a nuestros competidores?".
10. "Escriba un correo electrónico de prospección para clientes potenciales que

termine con un mensaje personalizado: "¡Estamos encantados de trabajar con usted, **[cliente potencial]**!"".

3. Construir un embudo en línea

3.1 Generar ideas de productos

Instrucciones de finalización:

Dame **[número] de** posibles ideas de productos para un **[tipo de negocio]**.

Dame una lista de 4 ideas de productos que pueda crear como **[tipo de negocio]**. Mis clientes se enfrentan a **[puntos críticos]** y quieren **[resultado deseado]**.

Organiza una sesión de brainstorming para generar 10 ideas de productos que puedan resolver sus problemas.

Preguntas abiertas:

1. "¿Cuáles cree que serán las principales tendencias **[del sector] en los** próximos cinco años?".
2. "¿Cuáles son las 5 principales tendencias que influyen actualmente en **[tipo de industria]**?".
3. "¿Cuáles podrían ser los nuevos productos que ofrecer como **[tipo de industria]** al servicio de **[nicho]**?".
4. "Dime hacia dónde se dirige el **[nombre**

del sector]".

5. "¿Qué nuevos productos podría ofrecer un **[tipo de empresa] a** sus clientes?".
6. "Indíqueme 3 posibles ideas de productos para una empresa de consultoría que ayuda a los dueños de restaurantes a aumentar las ventas".
7. "Proporcióneme una lista de cuatro ideas de productos que pueda crear como empresa de limpieza de alfombras".

3.2 Generación de ideas para un embudo en línea

Instrucciones de finalización:

1. "¿Puedes explicar en términos sencillos un embudo online para vender un **[tipo de producto]**?".
2. "¿Qué debo tener en cuenta para vender un **[tipo de producto]** a **[precio]** utilizando un embudo online?".
3. "¿Cuál es la estrategia para vender un **[producto]** con embudos online?".
4. "¿Cuáles son los pasos concretos para vender un **[producto]** utilizando

embudos online?".

5. "¿Cuál sería el mejor tipo de embudo para vender un **[producto]**?".
6. "¿Qué crees que es mejor para vender un **[producto]** utilizando un embudo online? Opción A: **[Tipo de embudo]** Opción B: **[Tipo de embudo]**".
7. "¿Puedes sugerirme tres tipos diferentes de embudo online que podría utilizar para vender un **[producto]**?".
8. "¿Cuáles son algunas ideas únicas y eficaces de embudos online que puedo utilizar para vender un **[producto]** a **[nicho]**?".
9. "¿Puedes darme tres ejemplos de embudos online adecuados para vender un **[producto]** a **[nicho]**?".
10. "¿Cuáles pueden ser los pasos de un embudo online de venta de un mastermind de 2000 dólares para vendedores de Amazon FDA?".

3.3 Elegir un nicho

Instrucciones de finalización:

Enumere 3 nichos potenciales interesados en comprar [**producto**]. **Dígame** qué nichos están creciendo para **[tipo de negocio].** Quiero vender **[producto]**. Ayuda **[describe para qué sirve]**. Encuentre 10 posibles mercados que puedan necesitar esta solución.

PREGUNTAS COMO SUGERENCIA:

1. "¿Puede sugerirnos 10 nichos adecuados para iniciar un nuevo negocio?"
2. "¿Cuáles son los 10 principales nichos de crecimiento para emprendedores en 2023?"
3. "Estoy buscando iniciar un nuevo negocio, ¿cuáles son los nichos más prometedores en este momento?".
4. "¿Puedes ayudarme a encontrar 10 nichos rentables para empezar un nuevo negocio?".
5. "Estoy intentando entrar en un nuevo mercado, ¿cuáles son los 10 principales nichos a tener en cuenta?".
6. "¿Cuáles son los 10 nichos más inexplorados para emprender un nuevo negocio en 2023?"
7. "¿Puede proporcionarme una lista de 10

ideas de nicho para una nueva oportunidad de negocio?".
8. "¿Cuáles son los 10 nichos más calientes para iniciar un nuevo negocio en los próximos cinco años?".
9. "Estoy en la fase inicial de montar un nuevo negocio, ¿cuáles son los 10 nichos que crecen actualmente?".
10. "¿Me puede dar 10 ideas de nichos para empezar un nuevo negocio que tengan un alto potencial de crecimiento?".
11. "¿Cuáles podrían ser 3 nichos potenciales para vender un producto para el cuidado de la piel?"
12. "¿Cuáles son los nichos de crecimiento para los entrenadores en línea?"

3.4 Redactar una página de ventas

Instrucciones de finalización:

Primera sugerencia: Escriba una entrada de diario emocional de 500 palabras desde la perspectiva de **[el cliente ideal]** que está luchando con **[puntos de dolor]**. Siente **[emociones]** y desea **[resultados deseados]**.

Segundo ejercicio: Reescriba lo anterior, sustituyendo "yo" por "tú".

Tercera sugerencia: Utilice lo anterior para escribir una carta de ventas de **[número de palabras]**, dirigida a **[clientes ideales] que** están luchando con **[puntos de dolor]**. Prométales que, si siguen leyendo, entenderán por qué la verdadera razón por la que no han conseguido **[resultado deseado]** es algo llamado **[mecanismo único]**. Ofrezca un producto llamado **[nombre del producto]** que tiene las siguientes ventajas principales:

- **[Ventaja 1].**
- **[Ventaja 2].**
- **[Ventaja 3]**.

Ofrezca esta garantía: [incluir **garantía]**, e incluya estas credenciales: **[incluir credenciales]**.

Cuarto aviso: Incluya instrucciones de seguimiento como:
- Incluya el hecho de que ayudamos a **[número de personas] a** conseguir **[resultado deseado**].
- Sea más emotivo en la introducción - Incluya estos testimonios en toda la página: [**pegar testimonio].**
- Utilice la narración antes de mencionar el precio - Incluya un titular que mencione estos **[puntos de dolor]** y **[deseos]**.

3.5 Creación de una página de destino (para inscripciones o seminarios web)

Instrucciones de finalización:

1. Escriba una página de aterrizaje que ofrezca **[lead magnet]** a **[audiencia]**. Este **[ebook/webinar/serie de vídeos]** gratuito les ayudará a:
   -[Beneficio 1]
   -Beneficio 2
   -Beneficio 3

Mencione que es completamente gratis y que puedo ayudarles porque **[incluya credenciales]**.

2. ¿Puede ayudarme a crear una página de aterrizaje para mi [**producto/servicio]** que convierta a los visitantes en clientes? Aquí tienes algunos detalles sobre mi **[producto/servicio]: [insertar detalles como beneficios, puntos de venta únicos, público objetivo, etc.]**.

Preguntas abiertas:

1. "Necesito una página de aterrizaje que me ayude a generar más clientes potenciales para mi negocio. Pueden ayudarme a crear una que destaque las principales características y ventajas de mi producto/servicio?".
2. "Voy a lanzar un nuevo producto y necesito una página de aterrizaje que capte la atención de los clientes potenciales. Puedes ayudarme a crear una que sea visualmente atractiva y fácil de navegar?".
3. "Quiero promocionar mi próximo evento y necesito una página de aterrizaje que

me ayude a vender entradas. Puedes ayudarme a crear una página que incluya toda la información necesaria y anime a los visitantes a registrarse?".

4. "Necesito una página de aterrizaje que pueda mostrar mi portfolio y los servicios que ofrezco como freelance. Puedes ayudarme a crear una página que destaque mis habilidades e incite a los clientes potenciales a ponerse en contacto?".
5. "Quiero crear una página de aterrizaje para mi libro electrónico y necesito que sea lo suficientemente persuasiva como para convertir a los visitantes en clientes. Puedes ayudarme a crear una que incluya una llamada a la acción clara y destaque los principales beneficios de mi libro?".
6. "Necesito una página de aterrizaje que convenza a los visitantes para que se inscriban en mi periodo de prueba gratuito. Puedes ayudarme a crear una que destaque las características únicas de mi producto y convenza a los visitantes para que pasen a la acción?".
7. "Estoy intentando generar más ventas para mi tienda de comercio electrónico y necesito una página de aterrizaje que me

ayude a convertir visitantes en clientes. Puedes ayudarme a crear una que sea visualmente atractiva e incluya descripciones persuasivas de los productos?".

3.6 Redacción de un ejemplar para la orden adicional

Instrucciones de finalización:

1. Nuestro **[producto o servicio]** es la solución perfecta para **[punto débil]** al que se enfrentan muchos de nuestros clientes. Ofrece [ventaja **1]**, [ventaja **2]** y **[ventaja 3]**, lo que lo convierte en imprescindible para **[público objetivo X]**. Escriba un texto de 100 palabras que destaque el producto/servicio y anime a los clientes a actuar **(utilizando la urgencia)**.

2.

 Escriba tres versiones de un texto de 200 palabras instando a los clientes potenciales a comprar un **[tipo de**

producto] con estos beneficios: **[Beneficio 1] [Beneficio 2] [Beneficio 3]**
Asegúrese de hacer hincapié en que es la única oportunidad de conseguir este producto a **[precio]**, e incluya una **llamada a la acción** que diga **[llamada a la acción]**.

3. Escriba una breve página de aterrizaje en la que ofrezca **[producto]** en **[mercado]**. Menciona que es la única vez que verán este producto con un **[porcentaje]**% de descuento.

Preguntas abiertas:

1. "¿Puedes escribir textos de ventas para mi nuevo producto, [**nombre del producto]**, que es un **[descripción del producto]**? El público objetivo es [descripción del **cliente ideal]**".

2. "Necesito un texto de ventas para mi curso en línea sobre **[tema del curso].** Puedes escribir un texto que se dirija a **[descripción del público objetivo]** y

destaque las ventajas del curso?".

3. "Voy a lanzar una nueva línea de **[categoría de producto]**. Puedes escribir un texto de ventas que interese a **[descripción del público objetivo]** y destaque el **[argumento de venta exclusivo] de los** productos?".

4. "¿Puedes escribir textos de ventas para mi sitio web de comercio electrónico que venda **[categoría de productos]?** El público objetivo son **[descripción del cliente ideal]** que aprecian [punto de venta único de los productos]."

5. "Necesito textos de venta para mis servicios de coaching que ayuden a **[público objetivo] a** lograr **[objetivo].** ¿Puedes escribir textos dirigidos a personas que tengan **[punto débil del público objetivo]** y quieran **[resultado deseado de los servicios de coaching]**?".

6. "Estoy lanzando una nueva aplicación que ayuda a la gente a gestionar su **[área problemática]**. Puedes escribir un

texto de ventas que se dirija a las personas que luchan con [área problemática] y quieren [resultado deseado de la aplicación]?".

7. ¿Puede escribir un texto de ventas para mi nuevo libro sobre **[tema del libro]?** El público objetivo es **[descripción del lector ideal]** que desea **[resultado deseado del libro]**".

8. "Necesito textos de venta para mi agencia de viajes especializada en **[tipo de turismo].** ¿Puedes redactar un texto que interese a los viajeros que deseen **[resultado deseado de la experiencia de viaje]** y experimenten **[argumento de venta exclusivo de la agencia]?".**

9. "¿Puedes escribir textos de ventas para mi tienda online que venda **[categoría de producto]**? El público objetivo son personas que desean dar prioridad a [**propuesta de valor del producto]** y les apasiona **[punto de venta único del producto].**"

10. "Voy a lanzar un nuevo servicio que ayuda a **[público objetivo] a** mejorar su [área problemática]. Puedes escribir un

texto de ventas que atraiga a los empresarios que quieren **[resultado deseado del servicio]** y destaque en un **[descripción del mercado].**

3.7 Redactar una página de ventas adicionales

Instrucciones de finalización:

1. Escriba una página de ventas con palabras que empiecen por "¡Espere! Su pedido no está completo". Y luego utilice un lenguaje persuasivo para crear una sensación de urgencia para comprar un producto llamado **[nombre del producto]**, que ofrece las siguientes ventajas:
   [Ventaja 1]
   [Ventaja 2]
   [Ventaja 3]
   Menciona que el lector podrá **[promesa]**, o tendrá la **seguridad** de que **[garantía]**.
2. Escriba una página de ventas de 300

palabras en la que presente **[su producto]** y describa los siguientes beneficios clave: **[beneficio 1]**, [beneficio **2]**, **[beneficio 3]**. Muestra cómo este producto ayudará a tu público **[nicho] a** alcanzar **[resultado final]**. Aborda los puntos críticos a los que se enfrenta el público objetivo: [**punto crítico 1]**, [punto crítico **2]**, **[punto crítico 3]**, y explica cómo este producto puede ayudar a resolverlos. Utiliza estos testimonios para crear credibilidad y demostrar la eficacia del producto:
[Testimonio 1]
[Testimonio 2]
[Testimonio 3]
Crea una sensación de urgencia destacando **[urgencia]** y **[escasez]**. Utilice un lenguaje claro y conciso y un formato que facilite la lectura y la navegación por la página de ventas. Concluya invitando a los clientes potenciales a pasar a la acción y realizar una compra, al tiempo que refuerza los beneficios clave y el valor del producto.

Preguntas abiertas:

1. "Estoy vendiendo **[descripción de la oferta principal]**. Puedes escribir un texto persuasivo de 200 palabras ofreciendo el producto a los clientes que acaban de comprar [descripción de la **oferta principal]**?".
2. "¿Puedes escribir una página de upsell que convenza a los clientes de cambiar a nuestro **[descripción del producto]**?".
3. "Necesito una página de upsell que destaque las ventajas de **[descripción del producto]**. ¿Puede ayudarme?"
4. "Quiero crear una página de upsell que muestre las características de nuestra membresía VIP. ¿Puedes ayudarme con esto?"
5. "¿Puedes ayudarme a escribir una página de upsell promocionando nuestra versión avanzada del software?".
6. "Necesito una página de upsell para convencer a los clientes de que se pasen a nuestro plan platino. ¿Me la puedes escribir?"
7. "¿Puedes crear una página de upsell que destaque los recursos adicionales

incluidos en nuestro paquete premium? Ofrecemos **[descripción de su negocio]**"

8. "Quiero ofrecer un upsell a los clientes que compren nuestro servicio básico. ¿Puedes ayudarme a escribir la página en la que se hace la oferta? Vendemos **[producto]** a **[nicho]**".
9. "¿Puedes redactar una página de upsell que muestre las ventajas de nuestro completo programa de formación?".
10. "Necesito una página de upsell que convenza a los clientes de cambiar a nuestro producto de gama alta. ¿Puedes ayudarme con esto? [**Introduzca detalles sobre su producto y su público objetivo**]".

3.8 Escribir una página de agradecimiento

Instrucciones de finalización:

1. Escriba una página de aterrizaje persuasiva de **[número de palabras] que ofrezca** un **[producto]** llamado **[nombre del producto]** que ayude a

[audiencia] a **[beneficiarse]** **[oferta]**. Empieza diciendo "Gracias, tu recurso gratuito está en camino".

Preguntas abiertas:

1. "¿Pueden escribir una página de **[rellenar el espacio en blanco]** para el lanzamiento de mi nuevo producto? Queremos agradecer a nuestros clientes su apoyo y animarles a compartir su experiencia con los demás."
2. "Necesito una página **[rellenar el espacio en blanco]** para mi organización sin ánimo de lucro. Puedes escribir un texto expresando nuestro agradecimiento por las donaciones y animando a la gente a seguir apoyando nuestra causa?".
3. "¿Puede escribir una página **[rellene el espacio en blanco]** para mi sitio web de comercio electrónico? Queremos agradecer a nuestros clientes su compra y ofrecerles un descuento especial en su próximo pedido."
4. "Estoy organizando un evento de **[rellenar el espacio en blanco]** y necesito una página de agradecimiento para los participantes. Puedes escribir un

texto expresando nuestra gratitud por su participación y facilitando información sobre futuros eventos?".

5. "¿Pueden escribir una página **[rellenar el espacio en blanco]** para mi curso en línea? Queremos dar las gracias a los alumnos por matricularse y ofrecerles recursos adicionales para apoyar su aprendizaje."
6. "Necesito una página de **[rellenar el espacio en blanco]** para mis servicios de coaching. Puedes escribir un texto agradeciendo a los clientes su compromiso con el crecimiento personal y proporcionando información sobre las próximas sesiones?".
7. "¿Puede escribir una página **[rellene el espacio en blanco]** para la conferencia de mi empresa? Queremos agradecer a los participantes su participación y animarles a seguir estableciendo contactos con otros profesionales."
8. "Voy a lanzar una nueva línea de productos y necesito una página de **[rellenar el espacio en blanco]** para los clientes. Puedes escribir un texto agradeciéndoles que prueben nuestros productos y proporcionándoles

información sobre los nuevos lanzamientos?".

9. "¿Puede escribir una página **[rellene el espacio en blanco]** para mi gimnasio? Queremos agradecer a nuestros socios su compromiso con su salud y bienestar y ofrecerles una promoción especial."
10. "Necesito una página de **[rellenar el espacio en blanco]** para mi restaurante. ¿Puedes escribir un texto agradeciendo a los clientes que hayan cenado con nosotros y animándoles a que dejen una reseña o nos sigan en las redes sociales?".

4. Sitio web de comercio electrónico

4.1 Generar descripciones de productos

Instrucciones de finalización:

1. Generar 5 descripciones de productos en mi sitio web para **[producto]**, destacando los beneficios y las características clave de los productos.
2. Escribe una descripción de producto pegadiza en mi sitio web para **[producto]** que capte la atención de los compradores potenciales en menos de 60 segundos.
3. Tengo previsto crear una descripción de producto en mi sitio web para **[producto]**, la solución perfecta para **[público objetivo]**. Puedes diseñar una descripción eficaz que destaque sus ventajas y características clave?

Preguntas abiertas:

1. "¿Cuál es la información más importante que hay que incluir al crear descripciones de productos?"
2. "¿Cómo puedo crear descripciones de productos que sean atractivas para mis clientes objetivo?".

3. "¿Qué buscan los clientes en las descripciones de los productos?"
4. "¿Puede sugerirnos algunas formas de escribir descripciones de productos breves y convincentes?".
5. "¿Cómo puedo hacer que las descripciones de mis productos sean únicas y se diferencien de la competencia?".
6. "¿Cómo puedo utilizar imágenes y vídeos para mejorar las descripciones de mis productos?"
7. "¿Qué tono y lenguaje debo utilizar en las descripciones de los productos?".
8. "¿Qué grado de detalle debo dar sobre las especificaciones y características del producto?".
9. "¿Cómo puedo mejorar continuamente las descripciones de mis productos para aumentar las ventas?".
10. "¿Cuáles son algunas formas de hacer que las descripciones de mis productos sean SEO-friendly?"

4.2 Redactar un artículo publicitario

Instrucciones de finalización:

1. *Escribe* un artículo de blog que describa **[tema]**. Menciona que el producto ayuda a [beneficio **1]**, [beneficio **2]**, **[beneficio 3]**. Concluye diciendo [**llamada a la acción]**. Incluye estadísticas, debe parecer un reportaje periodístico.

2. Organiza una lluvia de ideas para idear 10 posibles títulos para este artículo. Hazlos al estilo de **[revista o autor]**: [**copia y pega el texto del artículo publicitario]**.

Preguntas abiertas:

1. "¿Puedes escribir un artículo publicitario para mi nuevo **[producto]**, diseñado para ayudar a **[público] a** conseguir **[resultado]**?".

2. "Necesito un artículo publicitario para mi servicio **[oferta]** que proporciona **[solución]** a **[nicho]**. Puedes escribir un texto que golpee [**punto de dolor]** y destaque los beneficios de usar mi servicio?".
3. "Voy a lanzar un nuevo **[tipo de producto]** que ayuda a **[público]**. Puedes escribir un artículo publicitario que hable de [**punto de dolor]** y destaque las características únicas del producto?".
4. "¿Puedes escribir un artículo publicitario para mi curso **[oferta]** que enseña **[tema]**? El **público** objetivo es **[público]** interesado en **[deseo]**".
5. "Necesito un artículo publicitario para mi **[tipo de negocio]** que ofrece **[producto]** a **[público]**. Puedes escribir un texto que aborde **[puntos de dolor]** y destaque los beneficios de usar mi servicio?".
6. "Voy a lanzar un nuevo **[producto]** que ayuda a **[público]**. Puedes escribir un artículo publicitario que se dirija a **[deseo]** y destaque las ventajas de usar mi producto?".

7. "Voy a lanzar un nuevo servicio **[rellenar el espacio en blanco]** que proporciona [rellenar el espacio en blanco] a [rellenar el espacio en blanco]. Puedes escribir un artículo publicitario dirigido a [rellenar el espacio en blanco] y que destaque las características únicas de mi producto?".

4.3 Optimizar su sitio para SEO

Instrucciones de finalización:

1. Genere una lista de 10 ideas de palabras clave sobre **[tema]**.

   Opcional: Sugiera sólo palabras clave con un volumen elevado y una competencia baja o media. Opcional: Agrupe esta lista de palabras clave según las etapas del embudo, ya sean palabras clave en la parte superior del embudo, en medio del embudo o en la parte inferior del embudo (basándose en búsquedas anteriores).

2. Proporcione una lista de los 10 blogs mejor clasificados en la palabra clave **[keyword]**. Mencione la URL.

3. Sugerir ideas de temas para el blog sobre **[tema]** que puedan posicionarse en Google.

4. Escriba un esquema detallado del artículo del blog sobre **[tema]** con títulos de segundo y tercer nivel, subtítulos y listas con viñetas.

5. Proporcione una lista de temas relacionados con **[tema]**.

6. ¿Cuáles son los 3 públicos objetivo más interesados en **[tema]** a los que dirigirnos en Google?

7. Proporcione 10 palabras clave de cola larga relacionadas con **[tema]**. Asocie cada palabra clave a uno de los 4 tipos de intención de búsqueda.

8. Ayúdame a generar un esquema de marcado de los siguientes pasos sobre **[tema]**.

Defina su público objetivo, Elija un tema, Busque palabras clave.

9. Ayúdenme a escribir un marcado de datos estructurados para **[URL]**.

10. Escriba un código HTML para marcar una página de preguntas frecuentes para la siguiente pregunta y respuesta: **[pregunta] [respuesta]**.

11. Escriba URL fáciles de usar para esta palabra clave en el dominio <dominio> para las siguientes palabras clave - **[palabras clave]**.

12. Enumero el público objetivo con datos personales para la palabra clave **[keyword]**.

4.4 Crear testimonios de clientes

Instrucciones de finalización:

1. Escriba cinco testimonios que suenen auténticos de **[producto]** para **[público]**.

2. Escriba 5 testimonios para **[producto]** coloquialmente.

3. Escriba 5 testimonios de **[producto]** escritos por **[cliente ideal]**.

4. Escriba 10 testimonios para **[producto]** que aborden estas objeciones: **[Objeción 1] [Objeción 2] [Objeción 3]**.

5. Escriba 10 testimonios para **[producto]** que aborden estas objeciones: **[Objeción 1] [Objeción 2] [Objeción 3]** Asegúrese de que suenen auténticos y utilice las palabras que utilizaría **[cliente ideal].**

4.5 Traducción del texto del sitio web a diferentes idiomas

Instrucciones de finalización:

1. Traduce este texto a **[idioma]**: **[Copiar y pegar texto]**.
2. ¿Cuáles son algunas formas alternativas de formular el siguiente texto en

[lengua]? [**Copie y pegue el texto**].

Preguntas abiertas:

1. "¿Puedes traducirme este texto?"
2. "Necesito ayuda para traducir este documento, ¿puedes ayudarme?"
3. "¿Puede Chat GPT proporcionarme una traducción de este texto?"
4. "No entiendo este texto, ¿me lo puedes traducir?".
5. "¿Puede ayudarme a convertir este texto a otro idioma?"
6. "¿Es posible que Chat GPT traduzca esta obra a otro idioma?"
7. "¿Puede ayudar en la traducción de este párrafo?"
8. "¿Puede Chat GPT ayudarme a entender este texto traduciéndomelo?".
9. "Necesito una traducción de este documento, ¿puede ayudarme?".
10. "¿Puede traducir este texto a **[lengua de llegada]**?".

4.6 Diseño de CTA

Instrucciones de finalización:

Sugiera 5 llamadas a la acción diferentes para este texto: **[copiar y pegar texto]**.

1. Sugiera la mejor llamada a la acción para una página **[inicio/producto/información]** de una empresa **del tipo [tipo de negocio]**.
2. Sugiera 5 maneras de animar a la gente a **[acción a emprender]** de forma más persuasiva.

Sugerencias abiertas:

1. "¿Puedes ayudarme a encontrar una llamada a la acción potente para mi página de aterrizaje que anime a los visitantes a suscribirse a mi boletín?".
2. "Necesito una llamada a la acción convincente para promocionar mi nuevo producto en las redes sociales. ¿Puedes ayudarme?"

3. "¿Puedes sugerirme una llamada a la acción potente para mi campaña de email marketing que incite a los suscriptores a comprar mi nuevo curso?".
4. "Estoy realizando una campaña publicitaria en Facebook para mis servicios de coaching. Puedes diseñar una llamada a la acción persuasiva que incite a la gente a reservar una llamada de descubrimiento conmigo?".
5. "¿Puedes crear una llamada a la acción potente para mi sitio web que anime a los visitantes a descargar mi ebook gratuito?".
6. "Necesito una llamada a la acción clara y eficaz para mi vídeo de YouTube que anime a los espectadores a suscribirse a mi canal".
7. "¿Puedes ayudarme a escribir una llamada a la acción convincente para la página de registro de mi seminario web que incite a la gente a registrarse?".
8. "Voy a lanzar un nuevo podcast y necesito una llamada a la acción pegadiza para mi introducción que incite a los oyentes a sintonizar futuros episodios".
9. "¿Puedes sugerirme una llamada a la acción persuasiva para mi página de ventas que

incite a los visitantes a comprar mi curso online?".

10. "Necesito una llamada a la acción fuerte para mi ventana emergente de salida que anime a los visitantes del sitio web a suscribirse a mi lista de correo electrónico antes de salir. ¿Puede ayudarme con esto?"

5. Marketing y afiliaciones

5.1 Escribir reseñas de productos afiliados

Instrucciones de finalización:

1. Escriba un comentario sobre la comparación de **[producto]** con otros productos de su categoría en cuanto a precio, características y calidad.

2. Escriba una breve reseña sobre **[producto] escrita por** un **[cliente ideal]** que acaba de comprarlo y está entusiasmado con los resultados. Señala los posibles puntos fuertes y débiles de [**producto]** y explica por qué.

3. Escriba una reseña basada en esta información.

4. Escribe una breve reseña sobre **[producto] de** un cliente que se lo recomienda a un amigo durante una conversación por WhatsApp. Menciona [beneficio **1]**, [beneficio **2]** y **[beneficio 3]**. Utiliza un lenguaje conversacional e informal.

5.2 Creación de cuadros comparativos de productos afiliados

Instrucciones de finalización:

1. Escriba un comentario sobre cómo se compara **[producto] con** otros productos de su categoría en términos de calidad, características y precio.

2. ¿Cuáles son las 10 ventajas de **[producto 1]** sobre **[producto 2]**?

3. Por favor, haga una reseña completa del **[producto]**, incluyendo sus características, rendimiento y relación calidad-precio.

4. Deme 10 razones por las que **[cliente ideal]** debería comprar **[producto 1]** en lugar de **[producto 2]**.

5.3 Generar recomendaciones de productos afiliados

Instrucciones de finalización:

1. Escribe un guión para un vídeo de YouTube sobre cómo **[producto]** me ayudó a **obtener [beneficio]**.
2. Escribe un artículo en tu blog sobre cómo **[producto]** me ayudó a **obtener [beneficio]**. Menciona algunas estadísticas.

3. Escribe un post en **[plataforma]** sobre cómo **[producto]** me ayudó a **[beneficiarme]**. Menciona las estadísticas y este testimonio: **[incluye el testimonio]**.

5.4 Redactar descripciones de productos de afiliación

Instrucciones de finalización:

1. Escribe una descripción pegadiza de **[producto]** para **[público]**. Escriba una descripción atractiva de **[producto]** para **[público]**. Mencione estas ventajas: **[Beneficio 1] [Beneficio 2]**
[Beneficio 3].

2. Escriba una descripción de un **[producto]** que destaque sus puntos fuertes y lo diferencie de otros productos del mercado.

3. Escriba una descripción breve y pegadiza de un **[producto] que** capte la atención de **[clientes ideales]** en las 3 primeras líneas.

4. Escriba descripciones atractivas para **[producto] que** inciten a **[clientes ideales]** a realizar una compra. Destaque estas características y ventajas clave: **[Ventaja 1] [Ventaja 2]**
[Beneficio 3].

Preguntas abiertas:

1. "¿Puedes ayudarme a escribir descripciones de productos para mi sitio de marketing de afiliación, centrándome en **[característica]**?".
2. "¿Podrías escribir algunas descripciones de productos que destaquen las ventajas de **[producto]** para **[público]**?".
3. "Tengo dificultades para crear descripciones de productos que realmente destaquen las ventajas de **[producto]**. ¿Puede ayudarme?"
4. "Por favor, ayúdenme a crear descripciones de producto atractivas que muestren las características únicas de **[producto]**".
5. "¿Puedes escribir descripciones de productos que se centren en **[producto]** y en cómo es una herramienta esencial para **[público específico]**?".
6. "Necesito crear descripciones de productos que hagan que **[producto] destaque** sobre la competencia. ¿Puede ayudarme?"
7. "Por favor, escriba descripciones de productos que expliquen claramente los beneficios en el uso de **[producto]** y por

qué vale la pena la inversión."

8. "¿Puedes escribir descripciones de productos que muestren la versatilidad de **[producto]** y cómo se puede utilizar en diferentes situaciones?".
9. Quiero crear descripciones de productos que atraigan a **[público específico]** y destaquen cómo **[producto]** puede facilitarles la vida. ¿Puedes ayudarme con esto?".

5.5 Escribir correos electrónicos para promocionar productos de afiliados

Instrucciones de finalización:

1. Crea una secuencia de 3 correos electrónicos promocionando **[producto]** a **[audiencia]**. Menciona que el producto ha sido creado por alguien en quien confías y que ganas una pequeña comisión de afiliado si el lector compra.

2. Escribe un correo electrónico para promocionar un **[producto]** entre **[público]**. Describe el producto en detalle y menciona estas ventajas clave:

[Ventaja 1] [Ventaja 2]
[Ventaja 3] Señala que se trata de un producto de afiliación y agradece el apoyo.

3. Soy afiliado de **[producto]**, que ayuda a **[público] a** conseguir **[resultado deseado]**. Escriba un correo electrónico de ventas invitando al lector a comprar este producto con un descuento si lo adquiere a través de mi enlace de afiliado.

Preguntas abiertas:

1. "¿Puedes ayudarme a escribir un asunto convincente que anime al destinatario a abrir mi correo electrónico de ventas?".
2. "¿Cómo puedo crear una frase inicial pegadiza que capte el interés del lector?".
3. "¿Cuáles son algunas formas de establecer credibilidad y generar confianza con el lector en un correo electrónico de ventas?".
4. "¿Puedes sugerir algunas técnicas para crear una sensación de urgencia o escasez en un correo electrónico de ventas?".

5. "¿Cómo puedo utilizar la narrativa para crear una conexión emocional con el lector y persuadirle para que actúe?".
6. "¿Cuáles son algunas formas eficaces de destacar las ventajas y el valor único de mi producto o servicio en un correo electrónico de ventas?".
7. "¿Puedes ayudarme a crear una llamada a la acción clara y convincente que anime al lector a dar el siguiente paso?".
8. "¿Cuáles son algunas formas de personalizar un correo electrónico de ventas y hacerlo más relevante para las necesidades e intereses del destinatario?".
9. "¿Cómo puedo utilizar pruebas sociales o testimonios en un correo electrónico de ventas para generar credibilidad y confianza en el lector?".
10. "¿Puedes sugerir formas de hacer un seguimiento y mantener el contacto con el lector después de enviar un correo electrónico de ventas, sin ser demasiado insistente o agresivo?".

6. Marketing en Facebook

6.1 Cómo crear un texto eficaz para los anuncios de Facebook

Instrucciones de finalización:

1. Escríbeme 3 copias de anuncios de Facebook basados en esta página de destino: **[Copia y pega el texto de la página de destino]**.
2. ¿Puede dar ejemplos de textos publicitarios eficaces para promocionar **[producto]** entre **[público]**? Asegúrate de que sean **[persuasivos/interesantes/emocionales]** y mencionen estas ventajas: **[Ventaja 1] [Ventaja 2] [Ventaja 3]** Concluye con una llamada a la acción que diga [**CTA**]. Añádele 3 emoji.
3. Genera 20 titulares convincentes para un anuncio de Facebook que promocione **[producto]** entre **[público]**.
4. Estoy creando una campaña publicitaria para **[producto/servicio]** y necesito ayuda para redactar textos que capten la atención de los clientes potenciales. Puede ayudarme a crear titulares y textos

que les persuadan para realizar una compra?
5. ¿Cuáles son las 20 posibles audiencias en Facebook que podrían estar interesadas en **[producto]**?

6.2 Generación de ideas sobre contenidos

Instrucciones de finalización:

Pregunta 1: ¿Qué tipo de imágenes funcionarían para promocionar **[producto]**?

Prompt 2: Enumera los adjetivos de **[la imagen o escena elegida]**.

Prompt 3: Describa **[la imagen o escena elegida]** en detalle.

Introduce toda esta información en un generador de arte basado en inteligencia artificial como Dall-E o Midjourney.

Preguntas abiertas:

1. "¿Puede sugerirme algunas imágenes únicas y llamativas que puedan captar la atención de mi público objetivo?".
2. "¿Cuáles son algunas formas creativas de representar visualmente las ventajas de mi producto/servicio en un anuncio?".
3. "¿Cómo puedo utilizar las imágenes para transmitir una emoción o un sentimiento específico que resuene en mi público objetivo?".
4. "¿Puedes ayudarme a diseñar un concepto visual que se alinee con los valores y el mensaje de mi marca?".
5. "¿Qué técnicas de narración visual puedo utilizar para que mi publicidad sea más atractiva y memorable?".
6. "¿Puede sugerirme algunos estilos gráficos de moda que podrían funcionar bien para mi publicidad?".
7. "¿Cómo puedo utilizar la psicología del color para crear publicidad que resuene con mi público objetivo y genere conversiones?".
8. "¿Puedes ayudarme a crear una narrativa visual que cuente una historia y conecte con mi público objetivo a un nivel más profundo?".

9. "¿Cómo puedo incorporar contenido generado por el usuario o pruebas sociales a mis imágenes publicitarias para aumentar la credibilidad?".
10. "¿Qué tipo de metáforas visuales o símbolos podría utilizar para crear un anuncio impactante y memorable?".

6.3 Escribir titulares para anuncios de Facebook

Instrucciones de finalización:

1. Escribe 3 anuncios de Facebook con un máximo de 40 caracteres basados en este texto de anuncio: **[Copia y pega la página de destino o el texto del anuncio]**.
2. Deme 3 ejemplos de títulos que llamen la atención para **[tipo de producto]**.
3. ¿Cuáles son algunos ejemplos de títulos que transmiten eficazmente la idea principal de **[tema]**?
4. Dame ejemplos de titulares pegadizos para un **[tema o producto]** que empujen a la gente a **[acción deseada]**. Hazlos al estilo de BuzzFeed.

Preguntas abiertas:

1. "¿Puedes crear títulos pegadizos para mis anuncios de Facebook promocionando mi nuevo **[insertar producto/servicio]** que **[insertar beneficio]**?".
2. "Necesito titulares pegadizos para mis anuncios de Facebook que promocionen mi **[insertar servicio]** que ayuda a **[insertar público objetivo]**. ¿Puedes ayudarme?".
3. "¿Puedes idear títulos convincentes para mis anuncios de Facebook que promocionen mi **[insertar producto/servicio]** que es **[insertar punto de venta único]**?".
4. "Estoy lanzando una nueva línea de **[insertar producto]** y necesito títulos pegadizos para mis anuncios de Facebook dirigidos a **[insertar público objetivo]**. ¿Puedes escribirlos por mí?".
5. "¿Puedes ayudarme a escribir titulares pegadizos para mis anuncios de Facebook promocionando mi **[insertar producto]** que utiliza **[insertar ingrediente natural/orgánico]**?".
6. "Necesito títulos para mis anuncios de Facebook en los que promociono [insertar **tipo de paquete de viaje]** de mi agencia de

viajes que ofrece **[insertar experiencia única]**. ¿Puedes ayudarme con esto?".

7. "¿Puedes escribir titulares que llamen la atención para mis anuncios de Facebook promocionando mi **[insertar producto/servicio de salud mental]** que ayuda a [insertar **público objetivo] a** gestionar **[insertar problema de salud mental]**?".
8. "Estoy publicando anuncios en Facebook para mi **[insertar tipo de libro]** y necesito títulos convincentes para atraer a [insertar **público objetivo]** que quiera **[insertar pista]**. ¿Puedes ayudarme con esto?".
9. "¿Puedes crear titulares persuasivos para mis anuncios de Facebook que promocionen mi **[insertar producto]** que **[insertar punto único de venta]** y ayuden a **[insertar ventaja]**?".
10. "Necesito títulos para mis anuncios de Facebook que promocionen la categoría de productos de mi tienda online, que ofrece **[insertar punto de venta único]**. ¿Puedes escribirlos por mí?".

6.4 Escribir guiones de vídeo para anuncios de Facebook

Instrucciones:

¿Puedes escribir un **[tipo de texto] sobre** el tema de **[tema] [detalles adicionales]**?

1. ¿Puedes escribir un guión de vídeo para un anuncio atractivo en Facebook sobre **[tema]**?
2. Escribe un esquema de guión para un vídeo de 2 minutos para vender **[producto]** a **[público]**, mencionando las siguientes ventajas: **[Ventaja 1] [Ventaja 2] [Ventaja 3]**.

Preguntas abiertas:

1. "¿Puedes escribir un guión para un vídeo publicitario en Facebook promocionando nuestro nuevo producto?".
2. "Necesito un guión para un vídeo publicitario en Facebook que muestre las

ventajas de nuestro servicio. ¿Puedes ayudarme?"

3. "Nuestro vídeo publicitario en Facebook necesita un guión que capte la atención de la gente y la anime a pasar a la acción. ¿Puedes escribirlo?"
4. "¿Puedes crear un guion para un anuncio de vídeo en Facebook que destaque las características únicas de nuestro producto y por qué es mejor que el de la competencia?".
5. "Busco un guión para un anuncio en vídeo de Facebook que cuente una historia y conecte emocionalmente con nuestro público. ¿Puedes ayudarme?"
6. "Queremos que nuestros anuncios de vídeo en Facebook sean divertidos y memorables. Puedes escribir un guión que haga que la gente se ría y recuerde nuestra marca?".
7. "Nuestro vídeo publicitario en Facebook necesita una llamada a la acción contundente. Puedes escribir un guión que anime a la gente a hacer clic, registrarse o comprar?".
8. "¿Puedes escribir un guión para un vídeo publicitario en Facebook que se dirija directamente a nuestro público objetivo y aborde sus problemas y deseos?".

9. "Estamos lanzando una nueva campaña y necesitamos un guión para un anuncio de vídeo en Facebook que emocione e intrigue a la gente. ¿Puedes ayudarnos con esto?".
10. "Nuestros anuncios de vídeo en Facebook tienen que destacar entre la multitud. ¿Puedes crear un guión que capte la atención de la gente y les haga querer saber más?".

6.5 Crear imágenes atractivas

Instrucciones de finalización:

1. Describa una imagen que represente **[producto/servicio]** con un estilo **[lujoso/aventurero/moderno, etc.]**. ¿Cómo puede utilizar la tipografía, el color y otros elementos de diseño para conseguir este aspecto?

2. En Chat GPT: Describa detalladamente **[imagen]**. Utiliza tantos adjetivos y descripciones como puedas. A continuación, introduce esos descriptores en otro generador de arte de IA como DALL-E2 o Midjourney.

3. Piense en 3 imágenes que puedan representar **[producto] de forma** divertida y memorable. Las imágenes deben captar la atención de los clientes potenciales.

4. Pregunta 1: ¿Qué tipo de imágenes representarían mejor **[tema]**? Pregunta 2: Enumere los adjetivos de **[imagen o escena elegida].** Pregunta 3: Describa [imagen o escena elegida] en detalle. Introduce toda esta información en un generador de AI art como Dall-E o Midjourney.

6.6 Pruebas A/B de textos para la conversión

Instrucciones de finalización:

Reescribe el siguiente texto de forma más persuasiva y fácil de leer: **[Copia y pega el texto de control].**

1. Añade los siguientes elementos al texto de este anuncio de Facebook: Primera línea: ¿Tienes problemas con **[problema]**?
   Testimonio:
   [Testimonio 1]
   [Testimonio 2] Llamada a la acción: Sólo nos quedan 3 modelos, ¡compra ahora! [**Copia y pega el texto de control**].
2. Reescribe 3 versiones de este texto, añadiendo más humor y conectando más profundamente con el lector: **[Copia y pega el texto de control].**
3. Estoy intentando hacer más interesante el texto de mi anuncio para **[oferta]**. Pueden ayudarme a encontrar un titular pegadizo y un argumento de venta único que capte la atención de la gente?

6.7 Investigar los puntos críticos y los deseos de su cliente ideal

Instrucciones de finalización:

1. Escriba un diario emocional de 500 palabras desde la perspectiva del **[cliente**

ideal] que está luchando con **[puntos críticos]**. Siente **[emociones]** y desea **[resultados soñados]**.
2. Describa las posibles frustraciones de alguien que **desea [deseo]** pero no puede realizarlo debido a **[obstáculos]**.
3. ¿Cuáles son los deseos y frustraciones más comunes del **[cliente ideal]**?
4. Enumera 20 posibles grupos de personas en Facebook que podrían estar interesadas en **[el producto o la solución]**.

Preguntas abiertas:

1. "¿Puede ayudarme a investigar a mi cliente ideal y proporcionarme información sobre sus características demográficas y psicográficas?".
2. "Quiero conocer mejor a mi público objetivo. ¿Puede recopilar información sobre sus intereses y comportamiento?".
3. "¿Puede proporcionarme datos sobre los puntos críticos y los retos de mi cliente ideal?".
4. "Me gustaría comprender mejor las necesidades y preferencias de mi público objetivo. Puede llevar a cabo una

investigación y proporcionarme perspectivas?".

5. "¿Puedes ayudarme a identificar las palabras y frases clave que busca mi cliente ideal en Internet?".
6. "Necesito saber más sobre los hábitos de compra de mi público objetivo. Puede recopilar datos sobre su comportamiento de compra?".
7. "¿Puede facilitarme información sobre las redes sociales en las que mi cliente ideal es más activo?".
8. "Quiero saber más sobre los valores y creencias de mi cliente ideal. ¿Puedes ayudarme a investigarlo?".
9. "¿Pueden recopilar datos sobre los contenidos y las preferencias mediáticas de mi público objetivo?".
10. "Busco información sobre los retos a los que se enfrenta mi cliente ideal en su vida diaria. ¿Puedes ayudarme a investigarlo?".

6.8 Lluvia de ideas para creativos

Instrucciones de finalización:

1. Escríbame 3 enfoques para anuncios basados en este texto de la **página de aterrizaje**: **[Copie y pegue el texto de la página de aterrizaje]**.

2. ¿Cuáles son los 10 enfoques para vender un **[producto]** al **[cliente ideal]**?

3. Enumere 10 puntos clave de venta de **[producto]** para **[nicho]**.

4. Haz una lista de 10 razones por las que **[cliente ideal]** podría querer comprar **[producto]**.

7. Marketing en YouTube

7.1 Escribir un guión para un vídeo de YouTube

Instrucciones de finalización:

1. Puedes escribir un **[tipo de texto] sobre** el tema de [**tema**] **[detalles adicionales]**. Luego conviértelo en un potente guión para un vídeo de YouTube.

2. ¿Puedes escribir un guión para un vídeo atractivo en YouTube sobre **[tema]**?

3. Puedes escribir un artículo de blog de 500 palabras sobre **[tema]**, mencionando estas ventajas: **[Ventaja 1] [Ventaja 2] [Ventaja 3]**

   A continuación, conviértalo en un guión para un atractivo vídeo de YouTube.

7.2 Escribir un título para un vídeo de YouTube

Instrucciones de finalización:

1. Piensa en 5 títulos pegadizos para este texto: **[copia y pega la transcripción del vídeo]**.
2. Escribe cinco títulos pegadizos para un vídeo de YouTube sobre **[tema]**.
3. Dame ejemplos de títulos pegadizos para un vídeo de YouTube sobre **[tema]** que hagan que la gente haga clic y vea el vídeo. Hazlos al estilo de **[Managize o autor]**.

7.3 Redactar una descripción de vídeo de YouTube optimizada para SEO

Instrucciones de finalización:

1. Escribe una descripción de 100 palabras para un vídeo de YouTube que incite a **[público]** a ver un vídeo sobre **[tema]** y mencione las siguientes palabras clave:

[palabra clave 1]
[palabra clave 2]
[palabra clave 3]

2. ¿Cuáles son las 10 palabras clave más populares relacionadas con [tema]? Utilízalas para escribir la descripción de un vídeo de YouTube sobre **[tema]**.

Preguntas abiertas:

1. "¿Puedes ayudarme a optimizar la descripción de mi vídeo de YouTube utilizando palabras clave relevantes para mi vídeo sobre **[insertar tema]**?".
2. "Busco ayuda para escribir una descripción atractiva y apta para SEO para mi último vídeo de YouTube sobre **[insertar tema]**. ¿Puedes ayudarme?"
3. "¿Puedes crear una descripción para un vídeo de YouTube que incluya las palabras y frases clave adecuadas para ayudar a que mi vídeo se posicione mejor en los resultados de búsqueda de **[insertar tema]**?".
4. "Necesito una descripción para un vídeo de YouTube que atraiga a mi público

objetivo y también ayude a mejorar el posicionamiento SEO del vídeo en **[insertar tema]**. ¿Puedes ayudarme?"

5. "¿Puedes escribir una descripción detallada y rica en palabras clave para mi vídeo de YouTube sobre **[insertar tema]** que incluya también una llamada a la acción?".
6. "Necesito ayuda para redactar una descripción SEO para mi vídeo de YouTube sobre **[insertar tema]**. Puedes crear algo atractivo e informativo?".
7. "¿Puedes ayudarme a escribir una descripción para un vídeo de YouTube que no solo explique de qué trata mi vídeo, sino que también incluya palabras clave y frases relevantes para **[insertar tema]**?".
8. "Necesito una descripción para un vídeo de YouTube que ayude a mi vídeo a posicionarse mejor en los resultados de búsqueda de **[insertar tema]**. Puedes escribir algo informativo y optimizado para los motores de búsqueda?".
9. "¿Puedes escribir una descripción para un vídeo de YouTube que incluya palabras clave relevantes, resuma el contenido de mi vídeo sobre **[insertar**

tema] y anime a los espectadores a verlo?".

10. "Estoy buscando ayuda para escribir una descripción atractiva y SEO amigable para mi vídeo de YouTube sobre **[insertar tema]**. Puedes ayudarme a crear algo que atraiga a los espectadores y también mejore su posicionamiento SEO?".

7.4 Escribir un guión para un vídeo publicitario en YouTube

Instrucciones de cumplimentación

1. ¿Puede escribir un guión para un vídeo publicitario en YouTube para **[tipo de texto]** sobre el tema **[tema] [detalles adicionales]**?

2. ¿Puedes escribir un guión súper atractivo para un anuncio de vídeo en YouTube sobre **[tema]**? Empieza diciendo "¡Para! Si quieres ganar dinero online, esto te ayudará". [**Cambia a un elemento de detención de desplazamiento]**.

3. Escribe una estructura de guión para un vídeo de YouTube de 2 minutos para vender **[producto]** a **[audiencia]**, mencionando las siguientes ventajas: **[Ventaja 1]** **[Ventaja 2]** **[Ventaja 3]**.

Preguntas abiertas:

1. "¿Cuánto debe durar un guión para un anuncio de vídeo en YouTube?".
2. "¿Cuál es el formato ideal para el guión de un anuncio en vídeo de YouTube?"
3. "¿Cómo puedo hacer atractivo un guión para un anuncio de vídeo en YouTube?".
4. "¿Cómo puedo hacer persuasivo un guión para un anuncio de vídeo en YouTube?".
5. "¿Cómo puedo medir el éxito del guión de mi anuncio de vídeo en YouTube?".

7.5 Ideas para crear miniaturas atractivas en YouTube

Instrucciones de finalización:

1. Escribe diez títulos de cuatro letras que expresen **[emoción]** después de **[ventaja principal]**.

Preguntas abiertas:

1. "¿Puedes sugerirme ideas para avances temáticos **[rellena el tema]** para mi canal de YouTube?".
2. "Necesito ideas creativas para los avances de mi nuevo vídeo en YouTube sobre **[rellena el tema]**. ¿Puedes ayudarme?"
3. "¿Puedes generar ideas para avances pegadizos para mi canal de YouTube dirigidos a **[rellenar audiencia]**?".
4. "Me cuesta encontrar ideas para los avances de mis vídeos de YouTube sobre **[rellena el tema]**. ¿Puedes ayudarme?"
5. "¿Puedes sugerirme diseños para avances en mi canal de YouTube que se alineen con la estética de mi marca?".
6. "Necesito ideas para previsualizaciones de mis vídeos de YouTube que inciten a los espectadores a hacer clic y verlos. Puedes sugerirme algunas ideas?"

7. "¿Puedes proponerme ideas para previsualizaciones de mi canal de YouTube que sean a la vez visualmente atractivas e informativas?".
8. "Voy a lanzar una nueva serie en mi canal de YouTube y necesito ideas para avances que capten la atención de los espectadores. ¿Puedes ayudarme?"
9. "¿Puedes sugerirme ideas para previsualizaciones de mis vídeos de YouTube que incorporen **[rellenar elemento]**, que es un elemento clave de mi contenido?".
10. "Quiero que los avances de mi canal de YouTube destaquen y sean únicos. Puedes ayudarme a generar algunas ideas creativas?

8. Atención al cliente

8.1 Elaboración de una lista de preguntas frecuentes para los clientes

Instrucciones de finalización:

1 Elabore una lista de preguntas y respuestas frecuentes para los clientes de **[tipo de empresa]**.

2. Escribe una sección de preguntas frecuentes con esta información. Cree una sección de preguntas frecuentes que aborde los conceptos erróneos más comunes sobre **[tema]**. Asegúrate de citar revistas autorizadas y aclara cualquier confusión a los clientes.

3. Elaborar una lista de preguntas frecuentes y sus respuestas que proporcionen información útil a mis clientes.

4. Escriba una FAQ para mi sitio web para ayudar a **[clientes ideales]** a entender mejor **[producto]**. Asegúrate de incluir la pregunta **[más frecuente]**.

Preguntas abiertas:

1. "¿Puede analizar los comentarios y opiniones de los clientes para identificar las preguntas más frecuentes?".
2. "¿Cómo puedo estructurar el texto de las FAQ para que sea fácil de leer y navegar para los clientes?".
3. "¿Puedes sugerir una introducción que establezca el tono de las FAQ y proporcione contexto para las preguntas y respuestas?".
4. "¿Cómo puedo escribir respuestas claras y concisas a las preguntas más habituales de los clientes?".
5. "¿Cuáles son algunas estrategias para anticiparse y responder a preguntas que los clientes pueden no saber que están haciendo?".
6. "¿Cómo puedo utilizar el formato (como encabezados, listas con viñetas y texto en negrita) para que las FAQ sean más fáciles de usar y visualmente atractivas?".
7. "¿Puedes sugerirme formas de incorporar marca y personalidad a las preguntas frecuentes para que se integren mejor con el resto de mi sitio web o producto?".
8. "¿Cómo puedo asegurarme de que las

respuestas de las FAQ son exactas y están actualizadas?".

9. "¿Puede dar ejemplos de preguntas frecuentes bien redactadas de otras empresas o sitios web?".
10. "¿Cuáles son las mejores prácticas para probar y optimizar las FAQ de modo que sean lo más útiles posible para los clientes?".

8.2 Gestión de la comunicación con los clientes

Instrucciones de finalización:

1. Reescribe este correo electrónico para un cliente en un tono más profesional y cálido: **[copia y pega el mensaje]**.
2. Un cliente se queja de **[problema]**. Escribe un correo electrónico de respuesta en el que muestres que le comprendes y que harás todo lo posible por ayudarle a resolver el problema.
3. Cree una plantilla para abordar las preguntas e inquietudes más comunes en relación con **[problema o solución]**.

4. ¿Puede ayudarme a redactar un correo electrónico en el que reconozca **[problema]**, pida disculpas y ofrezca una solución para solucionarlo?
5. ¿Cuáles son algunas formas eficaces de responder a la queja de un cliente por correo electrónico? La queja del cliente es sobre: **[problema]**. Empezar la respuesta presentándome, agradeciendo al cliente su correo electrónico y abordando su consulta.

Preguntas abiertas:

1. "¿Cómo puedo abrir un correo electrónico de atención al cliente de forma profesional y amable?".
2. "¿Puede sugerir algunas formas de reconocer y mostrar empatía por el problema o la preocupación del cliente?".
3. "¿Cuáles son las mejores prácticas para explicar de forma clara y concisa los pasos que debe seguir el cliente para resolver el problema?".
4. "¿Puede darme algunos ejemplos de lenguaje que pueda utilizar para expresar

mi agradecimiento por la atención del cliente?".

5. "¿Cómo puedo asegurarme de que el tono del correo electrónico es coherente con la voz y los valores de mi marca?".
6. "¿Puede sugerirnos algunas formas de ofrecer más ayuda o apoyo más allá de la respuesta inicial por correo electrónico?".
7. "¿Cuáles son las estrategias para utilizar un lenguaje que asegure al cliente que su problema se toma en serio y que se encontrará una solución?".
8. "¿Cómo puedo comunicar eficazmente cualquier limitación o restricción que pueda afectar a la capacidad del cliente para lograr el resultado deseado?".
9. "¿Puedes ayudarme a editar y corregir mi correo electrónico para que no tenga errores gramaticales ni erratas?".
10. "¿Cómo puedo terminar el correo electrónico para que el cliente se sienta satisfecho y apreciado, y animarle a ponerse en contacto conmigo si necesita más ayuda?".

8.3 Respuestas a comentarios de clientes potenciales o críticos

Instrucciones de finalización:

1. Escriba una respuesta cordial a un cliente potencial que quiere saber cómo funciona el **[producto]**.
2. Describa las ventajas del **[producto**] en palabras sencillas a un cliente potencial.
3. Enumere 10 formas de responder a esta pregunta sobre **[producto]**: **[Inserte la pregunta**].

Preguntas abiertas:

1. "¿Puedes escribir una respuesta a un cliente insatisfecho con nuestro producto/servicio que quiere un reembolso?".
2. "Necesito una respuesta para un cliente que tiene una pregunta sobre nuestras políticas de envío. ¿Puede ayudarme con esto?"
3. "¿Puedes escribir una respuesta educada a un cliente que ha dejado una crítica

negativa en nuestra web?".

4. "Necesito una respuesta para un cliente que está interesado en comprar uno de nuestros productos pero tiene dudas al respecto. Puedes escribir una respuesta informativa?".
5. "¿Puedes escribir una respuesta a un cliente que está experimentando dificultades técnicas con nuestro sitio web/aplicación y necesita ayuda?".
6. "Necesito una respuesta para un cliente que está interesado en nuestros servicios pero quiere más información antes de tomar una decisión. ¿Puedes escribir una respuesta persuasiva?".
7. "¿Puedes escribir una respuesta a un cliente que tiene problemas para acceder a su cuenta en nuestra plataforma?".
8. "Necesito una respuesta a un cliente que ha dado su opinión sobre nuestro producto/servicio y tiene algunas sugerencias de mejora. ¿Puedes redactar una respuesta profesional?".
9. "¿Puedes escribir una respuesta a un cliente que ha enviado una solicitud de asistencia y está esperando una solución a su problema?".
10. "Necesito una respuesta para un

cliente que pregunta por la política de devoluciones de nuestra empresa. Puedes escribir una respuesta clara y concisa?".

11. "¿Puedes ayudarme a redactar una respuesta a un cliente interesado en nuestro **[insertar producto/servicio]**?".
12. "Necesito una respuesta educada pero informativa a un cliente que está experimentando problemas con nuestra **[insertar funcionalidad]**. ¿Puedes escribirme una?".
13. "¿Puedes generar una respuesta amistosa a un cliente que está dejando una reseña positiva de nuestro **[insertar producto/servicio]**?".
14. "Necesito una respuesta profesional y empática a un cliente que expresa su insatisfacción con nuestro **[insertar producto/servicio**]. ¿Puedes ayudarme a redactar una?".
15. "¿Puedes redactar una respuesta a un cliente que solicita el reembolso de nuestro **[insertar producto/servicio]**? Debe ser informativa y cortés".

8.4 Fidelizar a los clientes

Instrucciones de finalización:

1. "Imagine que es cliente de su propio negocio. ¿Qué le motivaría a seguir utilizando su producto o servicio?".
2. "¿Cuáles pueden ser las razones por las que los clientes dejan de utilizar mi producto o servicio? ¿Qué puedo hacer para solucionar estos problemas y mantener el interés de los clientes?".
3. "¿Existe algún programa de fidelización o recompensa que pueda ofrecer para incentivar a los clientes a seguir utilizando mi producto o servicio? ¿Qué recompensas o ventajas serían más atractivas para mi público objetivo?".
4. "¿Podría ofrecer experiencias personalizadas a los clientes para aumentar su compromiso con mi marca? Qué tipos de personalización serían más eficaces y cómo podría aplicarlos?".
5. "¿Hay áreas de mi producto o servicio que podrían mejorarse para aumentar la satisfacción y fidelidad de los clientes? ¿Qué pasos podría dar para introducir

estas mejoras y comunicárselas a mis clientes?".

6. "¿Podría ofrecer recursos o apoyo adicionales para ayudar a los clientes a sacar el máximo partido de mi producto o servicio? Qué tipos de recursos o apoyo serían más valiosos para mis clientes y cómo podría hacerlos fácilmente accesibles?"
7. "¿Podría poner en marcha un programa de recomendación para incentivar a los clientes actuales a que recomienden mi empresa a nuevos clientes? ¿Qué recompensas o ventajas serían más eficaces y cómo podría promocionar el programa entre mis clientes actuales?".
8. "¿Hay funciones sociales o basadas en la comunidad que podría añadir a mi producto o servicio para aumentar el interés y la fidelidad de los clientes? ¿Qué tipo de funciones serían más eficaces y cómo podría animar a los clientes a utilizarlas?".
9. "¿Podría ofrecer contenidos exclusivos o acceso especial a los clientes que llevan cierto tiempo en mi empresa? Qué tipos de contenidos o accesos serían más atractivos para mis clientes y cómo

podría ofrecérselos de forma valiosa y atractiva?"

10. "¿Existen canales de comunicación o puntos de contacto en los que podría mejorar las interacciones con los clientes? ¿Qué medidas podría tomar para mejorar estas interacciones y hacerlas más personalizadas y eficaces?".
11. "¿Podría asociarme con otras empresas u organizaciones para ofrecer ventajas o recompensas adicionales a mis clientes? ¿Qué tipo de asociaciones serían más valiosas para mis clientes y cómo podría aprovecharlas para aumentar la fidelidad de mis clientes?"
12. "¿Puede sugerirme estrategias para mejorar la retención de clientes en mi negocio de **[insertar tipo de negocio]**?
13. "Estoy buscando ideas para aumentar la fidelidad de los clientes de mi **[insertar producto/servicio]**. Puedes ayudarme con una lluvia de ideas?".
14. "Quiero mejorar la fidelidad de los clientes de mi **[insertar tipo de negocio]**. Puede proporcionarme algunas ideas?".
15. "¿Puede sugerirme formas de

aumentar el número de compras repetidas de mi **[insertar producto/servicio]**?".

16. "Busco sugerencias sobre cómo mejorar la retención de clientes y reducir la pérdida de clientes para mi empresa en **[insertar sector]**. ¿Puede ayudarme?"
17. "¿Puedes aportar ideas sobre estrategias de retención para mi **[insertar tipo de negocio]** que animen a los clientes a volver?".
18. "Necesito algunas ideas sobre cómo aumentar la fidelidad de los clientes de mi **[insertar producto/servicio]**. ¿Puede ayudarme?"
19. "¿Puede sugerirme formas de mantener a los clientes comprometidos y fieles a mi negocio de **[insertar sector]**?".
20. "Estoy buscando ideas creativas para mejorar la retención de clientes para mi **[insertar tipo de negocio]**. Puede proporcionarme opciones?".

8.5 Encuesta a sus clientes

Instrucciones de finalización:

1. Proporciónenme 10 preguntas que pueda utilizar para encuestar a mis clientes y evaluar su nivel de satisfacción.
2. Ponga 20 ejemplos de preguntas abiertas que deban incluirse en una encuesta de clientes para **[tipo de empresa]**.
3. Enumere las métricas más importantes que hay que controlar en una encuesta de clientes para aumentar su satisfacción y fidelidad.
4. Tener una sesión de brainstorming e idear 20 preguntas que pueda hacer a mis clientes para averiguar qué otros productos necesitan.

9. Marketing por SMS

9.1 Redacción de campañas SMS de promoción y venta

Instrucciones de finalización:

1. Escribe un SMS para presentar la **[oferta]** a antiguos clientes. Usa la urgencia diciendo que la promoción dura solo 3 días.

2. Crea un SMS para invitar a los clientes a un **[evento/espectáculo]** especial, mencionando la fecha, la hora y el lugar y haciendo hincapié en que la **principal ventaja** es **[principal ventaja]**.

3. Crea un SMS ofreciendo un descuento personalizado en **[producto]** después de que alguien haya añadido el producto a su carrito pero no haya completado la compra. Utiliza la escasez diciendo que solo quedan 3 unidades.

4. Escribe un SMS para recordar a un cliente una reunión que empieza dentro de 1 hora. Menciona que el beneficio de asistir es **[beneficio principal]**.

9.2 Creación de campañas de captación de clientes potenciales por SMS

Instrucciones de finalización:

1. Escriba un mensaje de texto para dar las gracias a las personas que se inscriban y recordarles que pueden encontrar su recurso gratuito en **[URL]**.

2. Genere un SMS para los nuevos clientes potenciales después de que se hayan inscrito en **[evento]**, recordándoles que la **principal ventaja de participar es [ventaja principal]** y que las bonificaciones por participar en directo son **[bonificación]**.

3. Crea un SMS para los suscriptores del boletín invitándoles a **[llamada a la acción]**. Sé cariñoso y haz que suene como si viniera de un amigo.

9.3 Creación de recordatorios SMS y mensajes de seguimiento para los clientes

Instrucciones de finalización:

1. Escribe un SMS recordando el **[evento]** a los clientes potenciales. Menciona la fecha, la hora y el lugar del evento.
2. Generar un SMS recordando a un cliente potencial una llamada conmigo en 24 horas. Señalar que es realmente importante que participen si quieren **[resultado o bonificación]**.
3. Cree una campaña de SMS con 5 mensajes después de que alguien haya reservado una cita con **[tipo de empresa]**, destacando los beneficios de acudir a la cita.

Preguntas abiertas:

1. "¿Pueden ayudarme a crear recordatorios por SMS para que mis clientes vendan **[producto]** y mensajes de seguimiento para asegurarme de que completan **[la acción deseada]**?".

2. "¿Podrías escribir algunos SMS recordatorios animando a mis clientes a tomar medidas sobre **[rellenar el espacio en blanco]**?".
3. "Ayúdenme a crear recordatorios por SMS que destaquen las ventajas de **[producto]** y animen a **[público]** a probarlo".
4. "Necesito crear recordatorios por SMS que hagan que mis clientes se sientan valorados y apreciados. Pueden ayudarme a hacerlo, utilizando **[beneficio/descuento]** como eje central?".
5. "Por favor, escriba algunos SMS recordatorios explicando claramente las ventajas de usar **[el producto]** y por qué merece la pena la inversión".
6. "¿Puedes crear recordatorios por SMS que sean amistosos y personales, pero que también animen a los clientes a actuar sobre [la oferta]?".
7. "Quiero crear recordatorios por SMS que atraigan a **[público específico]** y destaquen cómo **[producto]** puede simplificarles la vida. ¿Pueden ayudarme con esto?".

10. SEO

10.1 Generar una lista de palabras clave

Instrucciones de finalización:

1. Genere una lista de 10 ideas de palabras clave sobre **[tema]**.Opcional: Sugiera sólo palabras clave con alto volumen y competencia baja o media. Opcional: Agrupe esta lista de palabras clave según las etapas del embudo, ya sean palabras clave de la parte superior del embudo, de la parte media del embudo o de la parte inferior del embudo (basándose en investigaciones anteriores).

2. Proporcione una lista de los 10 blogs mejor clasificados en la palabra clave **[palabra clave]**. [Dar **URL**].

3. Proporcione una lista de temas relacionados con **[tema]**.

4. Proporcione 10 palabras clave de cola larga relacionadas con **[tema]**. Relacione cada palabra clave con uno de los 4 tipos de intención de búsqueda.

10.2 Crear artículos atractivos para blogs

Instrucciones de finalización:

1. ¿Podría escribir un artículo de **[número de palabras]** sobre **[tema]**, destacando las **[ventajas]** de **[producto]** para **[lector]**?
2. Puedes escribir un artículo en el blog **[a favor/en contra][tema] desde** la perspectiva del **[cliente ideal]**. Antes de hacerlo, enumera las ventajas de leer el artículo.
3. Puede escribir un artículo de **[número de palabras]** con un tono **[profesional/emocional/emocionante/divertido]** que explique los beneficios de **[tema]** para **[lector]**. El artículo debe comenzar utilizando la fórmula PAS para incitar al lector a leer todo el artículo e incluir una llamada a la acción en el último párrafo mencionando [**oferta].**

Preguntas abiertas:

1. "¿Puedes escribir una entrada en tu blog sobre las ventajas de **[producto/servicio/idea]** y cómo puede mejorar **[área específica de la vida/negocio]**?".
2. "¿Puedes crear un post en el que se describan las principales tendencias del **[sector/nicho]** y se ofrezcan ideas prácticas sobre cómo estar a la última?".
3. "¿Puedes escribir un post que aborde **[retos/problemas]** comunes a los que se enfrenta **[público objetivo]** y ofrezca soluciones prácticas?".
4. "¿Puedes crear un post destacando las historias de éxito de **[individuos/organizaciones] que han tenido** un impacto significativo en su industria o comunidad?".
5. "¿Puedes escribir un post que ofrezca una guía completa sobre cómo **[alcanzar un objetivo específico/superar un reto específico]** mediante instrucciones paso a paso?".
6. "¿Puedes crear un post analizando la **[historia/situación/futuro actual]** del **[sector/nicho]** y predecir qué cambios son probables en un futuro próximo?".
7. "¿Puedes escribir un post en el que

ofrezcas consejos y estrategias para **[mejorar una habilidad/aspecto específico de la vida]** y dar ejemplos concretos de personas que hayan aplicado con éxito dichas estrategias?"

8. "¿Puedes crear un post que ofrezca una reseña en profundidad de un **[producto/servicio]** y ofrezca una evaluación honesta de sus ventajas y desventajas?".
9. "¿Puedes escribir un post que aborde ideas erróneas o mitos comunes sobre **[tema/área]** y proporcionar información precisa para refutar esas ideas erróneas?".
10. Puedes crear un post sobre una **[figura destacada/innovador]** del **[sector/nicho]** y ofrecer información sobre su carrera, sus logros y sus estrategias de éxito".

10.3 Optimización SEO

Instrucciones de finalización:

1. Genere una lista de 10 ideas de palabras

clave sobre **[tema]**. Opcional: Sugiera sólo palabras clave con un volumen elevado y una competencia baja o media. Opcional: Agrupe esta lista de palabras clave según las etapas del embudo, ya sean palabras clave para la parte superior, media o inferior del embudo (basándose en investigaciones anteriores).

2. Proporcione una lista de los 10 blogs mejor clasificados en la palabra clave **[keyword]**. [**Indique la URL**].
3. Sugerir ideas temáticas para blogs sobre **[tema] que se** puedan colocar en Google.
4. Escriba un esquema detallado del artículo por blog sobre **[tema]** con títulos H2, H3, subtítulos y viñetas.
5. Proporcione una lista de temas relacionados con **[tema]**.
6. ¿Cuáles serían las 3 primeras audiencias más interesadas en **[tema]** a las que dirigirnos en Google?
7. Proporcione 10 palabras clave de cola larga relacionadas con **[tema]**. Asocie

cada palabra clave con uno de los 4 tipos de intención de búsqueda.

8. Ayúdenme a generar el marcado schema how-to para los siguientes pasos sobre **[tema]**. Identificar el público objetivo, Elegir un tema, Hacer una búsqueda de palabras clave.
9. Ayúdenme a escribir el marcado de datos estructurados para **[URL]**.
10. Ayúdame a realizar un análisis de sentimiento para el siguiente **contenido [contenido]**.
11. Escriba un código HTML para el marcado de esquema de la página de preguntas frecuentes para la siguiente pregunta y respuesta. **[pregunta] [respuesta]**.
12. Escriba URL fáciles de usar para esta palabra clave en el dominio **[dominio]** para las siguientes palabras clave - **[palabras clave]**.
13. Enumere el público objetivo con los detalles del perfil para la palabra clave **[keyword]**.

10.4 Crear un calendario editorial

Instrucciones de finalización:

1. Cree un calendario editorial con 10 ideas de contenido relativas a **[palabra clave].** Incluye el número de palabras recomendado y la fecha de publicación para febrero de 2023 y marzo de 2023.

2. Ayúdame con una lista de iniciativas para un plan de distribución de contenidos para **[URL]**.

Preguntas abiertas:

1. "¿Puedes crear un calendario editorial para el próximo **[mes/trimestre/año]** que incluya **[número específico] de** artículos de blog, **[número específico] de** publicaciones en redes sociales y **[número específico]** de boletines por correo electrónico?".
2. "¿Puedes ayudarme a crear una lista de **[temas/palabras clave] que sean**

relevantes para mi **[sector/nicho/audiencia objetivo]** y que puedan utilizarse para crear contenidos variados?".

3. "¿Puede sugerir tipos específicos de contenido para crear, como infografías, vídeos, seminarios web o libros electrónicos, e indicar en qué canales debe compartirse?".
4. "¿Puedes ayudarme a identificar fechas y eventos clave que sean relevantes para mi negocio y sugerirme ideas de contenidos que puedan vincularse a esas fechas?".
5. "¿Puedes crear un tema semanal o mensual para mi contenido y sugerir temas que se alineen con ese tema?".
6. "¿Puedes ayudarme a priorizar mis ideas de contenido en función de su impacto potencial, facilidad de creación y relevancia para mis objetivos empresariales?".
7. "¿Puedes sugerir formas de reutilizar contenidos existentes, por ejemplo, convertir un artículo de blog en un vídeo o una infografía en un post para redes sociales?".

8. "¿Puedes ayudarme a establecer un calendario de publicaciones coherente y a identificar las horas óptimas para publicar en cada canal de las redes sociales?".
9. "¿Puedes sugerirme herramientas y recursos que me ayuden a agilizar mi proceso de creación y distribución de contenidos?".
10. "¿Pueden ayudarme a supervisar y analizar el rendimiento de mis contenidos y sugerirme formas de optimizarlos para mejorar el compromiso y la conversión?".

11 Marketing para podcasts

1.1 Generar preguntas de entrevista para su podcast

Instrucciones de finalización:

1. Enumere 10 preguntas para hacer a **[tipo de persona]** durante un podcast sobre **[tema]**.
2. Proporcione 10 títulos de podcast atractivos e interesantes sobre **[tema]** para **[audiencia]**.
3. Escriba un esquema para un guión de podcast sobre **[tema]** e incluya **[temas relevantes]**.
4. ¿Qué le gustaría saber al **[público]** sobre **[invitado]**?
5. Lluvia de ideas de 20 preguntas que podría hacer a una figura destacada del mundo **[industrial]** sobre **[tema]**.

11.2 Escribir el guión de un podcast

Instrucciones de finalización:

1. "¿Puedes escribir un guión para mi próximo episodio de podcast sobre **[tema]**?".
2. "Necesito un guión para mi podcast sobre **[tema]**. ¿Puedes ayudarme?"
3. "Quiero crear un episodio de podcast sobre **[tema]**. ¿Puedes escribirme un guión?".
4. "¿Cómo puedo organizar mi guión para un podcast sobre **[tema]** para **[audiencia]**?".
5. "¿Puedes crear un guión para mi podcast que sea atractivo, informativo e interesante? El **tema** es **[tema]** para **[audiencia]**".
6. "¿Puedes ayudarme a encontrar un tema para el episodio de mi podcast que sea relevante para mi audiencia y esté en línea con mi marca?".
7. "¿Puede proporcionarme una estructura de puntos clave que tratar en mi episodio de podcast, junto con sugerencias de historias, ejemplos y citas que incluir?".

8. "¿Puedes ayudarme a estructurar mi episodio de podcast con una introducción que capte la atención de la audiencia, una introducción clara, una sección principal que abarque los puntos clave y una conclusión que resuma el episodio y anime al oyente a pasar a la acción?".
9. "¿Puedes ayudarme a idear preguntas para mis invitados, en caso de que entreviste a alguien en el podcast?".
10. "¿Puedes sugerirme formas de hacer que mi episodio de podcast sea atractivo e interactivo, por ejemplo, utilizando efectos de sonido, música o la participación del público?".
11. "¿Puedes darme consejos sobre cómo hablar con claridad, seguridad y entusiasmo durante mi episodio de podcast?".
12. "¿Puedes ayudarme a optimizar el guión de mi podcast para la optimización de motores de búsqueda sugiriéndome palabras clave y frases relevantes para incluir?".
13. "¿Puedes ayudarme a idear un título y una descripción pegadizos para mi

episodio de podcast que animen a la gente a escucharlo y compartirlo?".

14. "¿Puedes darme ejemplos de episodios de podcast de éxito en mi sector o nicho en los que inspirarme?".
15. "¿Puedes ayudarme a editar y corregir el guión de mi podcast para asegurarme de que está bien escrito y sin errores?".

11.3 Búsqueda de invitados al podcast

Instrucciones de finalización:

1. "¿Puedes ayudarme a escribir un mensaje de difusión para invitar a la gente a mi podcast llamado **[nombre del podcast]**? El tema del podcast es [**tema**], y las principales ventajas de decir que sí son **[ventaja 1] [ventaja 2]. [ventaja 3]**. Concluyes diciendo: 'Si esto te parece interesante, házmelo saber y te enviaré una invitación a la agenda'".

Preguntas abiertas:

1. "Necesito un mensaje persuasivo para invitar a expertos del sector a ser invitados en mi podcast. ¿Puedes escribirlo por mí?".
2. "¿Puedes generar un mensaje de invitación para enviarlo a posibles invitados al podcast que sean líderes de opinión en el sector de **[insertar sector]**?".
3. "Estoy buscando una forma de contactar con invitados e invitarlos a mi podcast sobre **[insertar nicho]**. ¿Puedes ayudarme con esto?"
4. "¿Puedes ayudarme a escribir un mensaje de difusión para invitar a la gente a mi podcast centrado en **[insertar tema]**?".
5. "Necesito un mensaje convincente que enviar a los invitados potenciales para invitarles a unirse a mi podcast. ¿Puedes escribirlo por mí?".
6. "¿Puedes ayudarme a redactar un mensaje de difusión que convenza a los invitados para que se unan a mi podcast y compartan su experiencia en el sector de **[insertar sector]**?".
7. "Estoy buscando una manera de invitar a invitados a mi podcast que explora

[insertar nicho]. ¿Puedes ayudarme con esto?"

8. "¿Puedes escribir un mensaje de difusión para convencer a los invitados de que se unan a mi podcast y compartan sus perspectivas únicas sobre **[insertar tema]**?".
9. "Necesito un mensaje eficaz para enviar a posibles invitados e invitarles a unirse a mi podcast sobre **[insertar tema]**. ¿Puedes escribirlo por mí?".

12. LinkedIn

12.1 Optimizar un perfil de LinkedIn eficaz

Instrucciones de finalización:

1. Puedes escribir una sección "acerca de" en LinkedIn para un **[puesto]** en el **[sector]** que tenga las siguientes credenciales: **[Credencial 1] [Credencial 2] [Credencial 3]** Escríbelo en primera persona, utiliza un tono **[divertido/profesional/relajado/etc]** y concluye diciendo **['Si quieres que te ayude, envíame un mensaje personal']**.
2. Puedes escribir una sección "acerca de" en LinkedIn para un **[cargo]** del **[sector]** con las siguientes credenciales: **[Credencial 1] [Credencial 2]** **[Credencial 3]** Escríbelo con la voz de **[autor]**.
3. ¿Cuáles son algunas formas de mostrar mi experiencia en **[tema]** en LinkedIn?

4. ¿Cuáles son los elementos clave que debo tener en cuenta en mi página de LinkedIn para destacar?

12.2 Generar ideas para publicaciones en LinkedIn

Instrucciones de finalización:

1. Dame 10 ideas para posts en LinkedIn para un **[puesto]** que trate sobre **[nicho]**.
2. ¿Cuáles son los 5 trending topics del **sector** en LinkedIn?
3. Genera 10 ángulos diferentes para publicaciones en LinkedIn con el fin de compartir información sobre **[tema]**.
4. Dime 5 ideas para publicaciones en LinkedIn que puedan ayudarme a demostrar mi experiencia en **[sector o tema]** y proporcionar información valiosa a mi **[público objetivo]**.

12.3 Explotar los grupos de LinkedIn

Instrucciones de finalización:

1. Escribe un post extenso sobre **[tema]** para un grupo de LinkedIn dedicado a **[nicho]**.
2. Dame 10 ideas de contenido para un grupo de LinkedIn sobre **[tema]**.
3. Haz una lluvia de ideas sobre 10 formas en las que puedo utilizar los grupos de LinkedIn para promocionar mi **[tipo de negocio]** para **[nicho]**.

PREGUNTAS ABIERTAS:

1. "¿Puedes escribir posts para los grupos de LinkedIn sobre **[rellenar el tema]** que atraigan a los miembros y susciten conversación?".
2. "Necesito ayuda para crear contenidos para grupos de LinkedIn dirigidos a profesionales de **[rellenar el sector]**. ¿Puedes ayudarme?"
3. "¿Puedes generar publicaciones para grupos de LinkedIn que me posicionen como autoridad en el campo de **[rellena**

el espacio en blanco] y atraigan a clientes potenciales?".

4. "Busco ayuda para escribir posts para grupos de LinkedIn que generen tráfico a mi web y aumenten la notoriedad de mi marca. ¿Puedes escribirlos por mí?".
5. "¿Puedes crear posts inspiradores para los grupos de LinkedIn que empujen a los miembros a pensar de forma diferente sobre **[rellenar el tema]**?".
6. "Necesito ayuda para escribir posts para grupos de LinkedIn que sean informativos y educativos, y que me ayuden a establecerme como líder de opinión en el campo de **[rellenar el espacio en blanco]**".
7. "¿Puedes escribir posts para los grupos de LinkedIn que aborden problemas comunes del sector de **[rellena el sector]** y ofrecer soluciones que los miembros encuentren valiosas?".
8. "Busco ayuda para escribir posts para grupos de LinkedIn que sean concisos e incisivos y que capten la atención de profesionales ocupados".
9. "¿Puedes generar publicaciones para grupos de LinkedIn que muestren mi experiencia en el campo de **[rellenar el**

sector] y destaquen las ventajas de trabajar conmigo?".

10. "Necesito ayuda para crear publicaciones atractivas para grupos de LinkedIn que inicien conversaciones y animen a los miembros a compartir opiniones y experiencias sobre **[rellenar el tema].**

12.4 Estrategia de contenidos en LinkedIn

Instrucciones de finalización:

1. Crea un calendario de publicación de contenidos con 10 ideas de contenidos sobre **[tema]**. Incluye la fecha de publicación para febrero de 2023 y marzo de 2023.
2. Indíqueme 10 temas interesantes que una **[función**] debería tratar en LinkedIn para dar a conocer sus servicios.
3. Dame 20 ideas de contenido para LinkedIn que un **[cargo**] podría utilizar para promocionar su negocio.

4. Indícame los temas más exitosos para un **[puesto]** en LinkedIn.

12.5 Crear anuncios para LinkedIn

Instrucciones de finalización:

1. Escríbeme 3 ejemplos de anuncios de LinkedIn basados en esta página **de destino**: **[Copia y pega el texto de la página de destino].**
2. ¿Puede dar ejemplos de textos publicitarios eficaces para promocionar **[producto]** entre **[público]**? Asegúrate de que sean **[persuasivos/interesantes/emocionales]** y mencionen estas ventajas: **[Ventaja 1]** **[Ventaja 2]** **[Ventaja 3]** Concluye con una llamada a la acción que diga [**CTA**]. Añade 3 emoji.
3. Estoy creando una campaña publicitaria en LinkedIn para promocionar **[producto]** para **[nicho]**. Escriba 3 textos que atraigan la atención de los

clientes potenciales y les convenzan para comprar.

12.6 Generar hashtags en LinkedIn

Instrucciones de finalización:

1. "¿Puedes sugerirme algunos hashtags relevantes en LinkedIn para un post sobre **[tema/industria]**?".
2. "¿Cuáles son algunos hashtags populares en LinkedIn que enlazan con **[tema/industria]**?".
3. "Estoy planeando compartir un post sobre **[tema/industria]** en LinkedIn. Podrías generar algunos hashtags efectivos para usar?".
4. "Estoy buscando hashtags populares para utilizar en mis publicaciones de LinkedIn relacionadas con **[insertar tema]**. ¿Puedes ayudarme?"
5. "¿Puedes generar algunos hashtags eficaces para mi post de LinkedIn promocionando mi **[insertar producto/servicio]**?".
6. "Necesito algunos hashtags específicos de mi nicho para mi post en LinkedIn

sobre **[insertar tema]**. Puedes sugerirme algunos?".

7. "¿Puedes recomendarme algunos hashtags de tendencia para usar en mi post de LinkedIn sobre **[insertar tema]**?".
8. "Me está costando encontrar buenos hashtags para mi post en LinkedIn promocionando mi **[insertar producto/servicio]**. ¿Puedes darme algunas ideas?".
9. "¿Puedes sugerirme algunos hashtags específicos del sector para mi publicación en LinkedIn sobre **[insertar tema]**?".
10. "Necesito algunos hashtags para llegar a un público más amplio para mi post en LinkedIn promocionando mi **[insertar producto/servicio]**. Puedes sugerirme algunos?".
11. "¿Puedes ayudarme a encontrar algunos hashtags de nicho para usar en mi post de LinkedIn relacionado con **[insertar tema]**?".
12. "Quiero aumentar la visibilidad de mi post en LinkedIn **sobre [insertar tema]**. Puedes recomendarme algunos hashtags eficaces?".

12.7 Automatización en LinkedIn

Instrucciones de finalización:

1. Escribe un script para un bot de automatización en LinkedIn que se centre en **[generación de contactos/redes de contactos]** y que se pueda personalizar para una empresa del sector **[insertar industria]**.
2. Dime cuáles son las mejores formas de utilizar LinkedIn para hacer crecer nuestra empresa **[tipo de empresa]** entre **[público]**.
3. Desarrollar una estrategia para automatizar el crecimiento en LinkedIn para una empresa **[tipo de negocio] con el fin de** alcanzar **[objetivos clave]**.
4. Describa las 10 mejores estrategias para que las empresas **[del sector]** aumenten su presencia en línea y atraigan a más clientes en LinkedIn.
5. ¿Cómo pueden los profesionales de [sector/red] utilizar LinkedIn para establecer contactos y desarrollar su marca personal?

6. Crear una estrategia de crecimiento automatizada para LinkedIn. Soy un [describir **función]** que presta servicio a **[clientes ideales]** y mis metas son **[describir objetivos]**.

13. Twitter

13.1 Optimizar su perfil de Twitter

Instrucciones de finalización:

1. ¿Cómo puedo optimizar mi perfil de Twitter para atraer a clientes potenciales y hacer crecer mi marca en el **[sector]**?
2. ¿Cuáles son algunas estrategias eficaces para aumentar la interacción con los seguidores y crear una fuerte presencia en línea para mi **[empresa]** que vende **[producto]** a **[nicho]**?
3. ¿Cómo puedo utilizar Twitter para crear relaciones con mi **[público objetivo]** y generar clientes para mi **[tipo de negocio]**?
4. ¿Cuáles son algunas formas creativas de optimizar mi perfil de Twitter para atraer a **[tipo de clientes]** y persuadirles de **[acción deseada]**?

13.2 Escribir Tweets y Threads

Instrucciones de finalización:

1. Escribe un hilo en Twitter sobre **[tema]** para **[sector]**.
2. Escribe un tuit sobre **[tema]**. Aporta algunos puntos únicos e inusuales.
3. Expresa una opinión controvertida sobre **[tema]** y conviértela en un hilo de Twitter.
4. Tuitea sobre **[temas] al** estilo de **[influencer o autor]**.
5. Crea 10 tweets sobre **[tema]** para **[audiencia]**. Utiliza estadísticas y argumentos lógicos.

13.3 Explotar las tendencias de Twitter

Instrucciones de finalización:

1. Escribe un tuit que se convierta en viral y aumente la concienciación sobre **[tema]**. Proporciona 10 sugerencias.

2. Ayúdame a crear un título pegadizo y un contenido interesante para 10 tweets sobre **[tema]**.
3. ¿Cuáles son los temas más populares en Twitter sobre **[tema]**?
4. ¿Qué tipo de contenido recibe más interacciones en Twitter?
5. ¿Qué tipo de contenidos de **[sector]** se hacen virales en Twitter?

13.4 Crear anuncios en Twitter

Instrucciones de finalización:

1. Escribe 10 anuncios en Twitter para promocionar **[producto]** para **[nicho]**.

   Escribe 10 anuncios en Twitter para promocionar **[producto] para [nicho]**. Utiliza la fórmula AIDA.
2. Escribe 10 anuncios en Twitter para promocionar **[producto]** para **[nicho]**. Utilice la fórmula PAS. Escribe 10 anuncios en Twitter para promocionar **[producto] para [nicho]**. Empieza con

un tono lúdico pero termina utilizando el elemento de la escasez.

3.

Sugiere 5 enfoques de anuncios en Twitter para vender **[producto]** por **[enfoque]**. Asegúrate de que los enfoques conectan emocionalmente con los clientes potenciales.

13.5 Hacer que tus tuits se vuelvan virales

Instrucciones de finalización:

1. Escribe 10 tweets con una alta probabilidad de hacerse virales en **[nicho]**.
2. Optimiza este tuit para hacerlo viral: **[copia y pega el tuit]**.
3. Indica 5 características de los tuits que se hacen virales sobre **[tema]**.
4. Crea un tuit pegadizo sobre **[tema]**.
5. Crea 3 tuits que sean ampliamente compartidos por personas influyentes de

[sector]. Asegúrate de que interesan a **[audiencia]** y anímales a compartir el tuit.

13.6 Optimizar el crecimiento en Twitter

Preguntas abiertas:

1. "¿Puedes sugerirme algunas estrategias para aumentar mis seguidores en Twitter?".
2. "¿Qué tipo de contenidos debo compartir en Twitter para atraer a mi audiencia?".
3. "¿Puedes ayudarme a identificar las mejores horas para publicar en Twitter para llegar a mi público objetivo?".
4. "¿Cómo puedo utilizar los anuncios de Twitter para llegar a más gente y aumentar mis seguidores?"
5. "¿Puedes sugerirme algunos chats o hashtags de Twitter en los que debería participar para ampliar mi red de contactos?".
6. "¿Cómo puedo aprovechar las analíticas de Twitter para controlar mi rendimiento y optimizar mi estrategia?".

7. "¿Cuáles son algunas formas creativas de utilizar Twitter para promocionar mi marca o negocio?".
8. "¿Puedes ayudarme a crear tweets persuasivos que consigan más interacciones y retweets?".
9. "¿Cómo puedo utilizar Twitter para establecer relaciones con personas influyentes y líderes del sector en mi nicho?".
10. "¿Cuáles son algunas de las mejores prácticas de Twitter que debería seguir para maximizar mi potencial de crecimiento?" ¿Qué tipos de contenido reciben más interacciones en Twitter? ¿Qué tipos de contenido **[del sector] se** hacen virales en Twitter?

14. Medios de comunicación social

14.1 Generar ideas para un seminario web o un taller

Instrucciones de finalización:

1. Proponga 10 temas para un seminario web con el fin de atraer a **[cliente ideal]** hacia **[oferta]**.
2. Escriba 20 títulos para un seminario web sobre **[tema]** para **[audiencia]**.
3. Enumere 10 ideas interesantes para **[cliente ideal]** sobre **[tema].**
4. Genere 20 temas para un taller que atraiga a **[cliente ideal]** y le presente una solución a **[problema]**, para que pueda **[alcanzar el estado deseado].**

14.2 Crear títulos atractivos para las redes sociales

Instrucciones de finalización:

1. Escribe 3 títulos pegadizos para este post en redes sociales: **[copia y pega el texto del post]**.

2. Formula 5 títulos pegadizos para un post sobre **[tema]** en **[plataforma]** para **[audiencia]**.
3. Dé 3 ejemplos de títulos que llamen la atención para **[tipo de producto].**
4. ¿Cuáles son algunos ejemplos de títulos que transmiten eficazmente la idea principal de **[tema]**?
5. Da ejemplos de titulares pegadizos para un **[tema o producto] que** empujen a la gente a **[acción deseada]**. Hazlos al estilo de BuzzFeed.

14.3 Diseñar gráficos personalizados para anuncios en redes sociales

Instrucciones de finalización:

1. Pregunta 1: ¿Qué tipo de imágenes representarían mejor **[tema]**?
2. Prompt 2: Enumera los adjetivos de **[la imagen o escena que has elegido]**.
3. Pregunta 3: Describa **[la imagen o escena elegida]** en detalle.

4. Introduce toda esta información en un generador de arte de IA como Dall-E o Midjourney.

14.4 Crear Mood Boards visualmente impactantes para Instagram o Pinterest

Instrucciones de finalización:

1. "¿Qué tipos de imágenes encajarían bien en un mood board en **[Pinterest o Instagram]** basado en **[tema]?".**
2. "Soy diseñadora de interiores. Cómo diseñaría un mood board sobre **[tema]** para **[plataforma]?".**
3. "¿Cuáles son las imágenes trending para un mood board sobre **[tema]** en **[plataforma]**?".
4. "Imagina que eres diseñador gráfico. Cómo crearías un mood board en **[plataforma]** para **[tema]**?".
5. "¿Qué puedo decirle a DALL-E para crear un mood board en **[plataforma]** sobre **[tema]**?".
6. "¿Puedes sugerir ideas para un mood board sobre **[tema]** en Instagram o Pinterest?".

7. "Necesito inspiración para mi mood board en Instagram o Pinterest relacionado con **[tema]**. Me puedes ayudar?"
8. "¿Puedes generar algunas ideas creativas para un mood board en Instagram o Pinterest que refleje el estado de ánimo **[adjetivo]** que estoy buscando?".
9. "Estoy buscando ideas frescas para mi mood board en Instagram o Pinterest basadas en **[tema]**. Qué me sugieres?"
10. "¿Puedes hacer una lluvia de ideas para un mood board en Instagram o Pinterest que muestre **[producto o servicio] de forma** artística y llamativa?".
11. "Necesito algunas ideas para un mood board en Instagram o Pinterest que refleje el sentimiento **[emoción] que** quiero transmitir. Me puedes ayudar?".
12. "¿Puedes sugerir temas y elementos visuales para un mood board en Instagram o Pinterest que estén en consonancia con la identidad y los valores de mi marca?".
13. "Busco ideas para un mood board en Instagram o Pinterest que capte la

esencia de **[tema] de forma** creativa e interesante. Qué me recomiendas?"

14. "¿Puedes ayudarme con una lluvia de ideas para un mood board en Instagram o Pinterest que sea atractivo para **[público objetivo]** y muestre mi marca de una manera única?".
15. "Necesito inspiración para mi mood board en Instagram o Pinterest relacionado con **[tema]**. Puedes sugerirme elementos visuales y combinaciones de colores que funcionen bien?

14.5 Búsqueda de hashtags en Instagram para llegar a un público más amplio

Instrucciones de finalización:

1. Dame 30 hashtags específicos para un post en Instagram sobre **[tema]**.
2. ¿Cuáles son los hashtags más populares en Instagram sobre **[tema]** para **[audiencia]**?
3. Estoy intentando crear una comunidad en Instagram y llegar a un público más

amplio. Sugiere una lista de hashtags que atraigan a personas interesadas en **[tema]**.

4. ¿Puedes sugerirme hashtags relevantes para mi próxima publicación en Instagram sobre **[tema]**?
5. Ayúdame a encontrar hashtags populares y relevantes para mi publicación en Instagram utilizando las palabras clave **[insertar palabras clave]**.

15. Tiktok

15.1 Escribir guiones para anuncios en TikTok

Instrucciones de finalización:

1. Por favor, escribe un anuncio en TikTok promocionando **[producto]** para **[audiencia]**.
2. Estoy intentando promocionar mi **[producto]** en TikTok. Puedes ayudarme a escribir un guión para un vídeo creativo y pegadizo que muestre sus características y ventajas?
3. Quiero crear un vídeo viral en TikTok que utilice el humor para promocionar **[producto]** entre **[público]**. Puedes ayudarme a escribir un guión divertido y atractivo?
4. Crea un guión para un anuncio en TikTok utilizando la fórmula PAS. Debe promocionar **[oferta]** para **[nicho]**.
5. Crea un guión para un anuncio en TikTok utilizando la fórmula AIDA. Debería promocionar **[oferta]** para **[nicho].**

15.2 Encontrar a tu público en TikTok

Instrucciones de finalización:

1. ¿Qué hashtags son los mejores para un post en TikTok sobre **[tema]**?
2. ¿Cuáles son los hashtags más populares en TikTok sobre **[tema]**?
3. ¿Qué tipos de contenido son populares en TikTok en relación con **[tema]**?
4. ¿Qué tipos de contenido son populares en TikTok para **[audiencia]**?

15.3 Generar ideas de contenidos atractivos en TikTok

Instrucciones de finalización:

1. Dame 10 ideas para publicar en TikTok sobre **[tipo de actividad]**.
2. Crea un pie de foto para una publicación en TikTok sobre **[producto o tema]**.
3. ¿Cuáles son los influencers más populares en TikTok en relación con

[tema]?

4. Ten una sesión de brainstorming para 10 ideas de contenido en TikTok para promocionar **[producto o tema]**.
5. Dame algunas ideas muy **[divertidas/controversiales/de moda]** para una cuenta de TikTok que hable de **[tema]**.

16. Asistente de redacción

16.1 Mejorar el texto existente

Instrucciones de finalización:

1. Haz que este texto sea más persuasivo: **[copia y pega el texto]**.
2. Haga este texto más atractivo para el lector: **[copiar y pegar texto].**
3. Reescribe este texto explicando los puntos débiles y los deseos de un cliente potencial: **[copia y pega el texto]**.
4. Reescribe este texto utilizando la fórmula de redacción AIDA: **[copia y pega el texto]**.
5. Reescriba este texto utilizando la fórmula de redacción PAS: **[copiar y pegar texto].**

Preguntas abiertas:

1. "¿Puede darme algunos consejos para que mi texto sea más atractivo y persuasivo?".
2. "¿Cómo puedo mejorar mis títulos para hacerlos más atractivos?".
3. "¿Puede ayudarme a simplificar mis

escritos y hacerlos más accesibles a mi público objetivo?".

4. "¿Cuáles son los errores más comunes que debo evitar en mi redacción?".
5. "¿Puede sugerirme algunas herramientas o recursos que pueda utilizar para mejorar mis habilidades de redacción?".
6. "¿Cómo puedo utilizar técnicas narrativas para que mi texto sea más memorable?".
7. "¿Puedes hacer comentarios sobre un texto concreto que he escrito y sugerirme formas de mejorarlo?".
8. "¿Cómo puedo utilizar los datos y la investigación para que mi texto sea más eficaz?".
9. "¿Puede ayudarme a crear una llamada a la acción clara y convincente en mi texto?".
10. "¿Cómo puedo mejorar mi estilo de escritura para hacerlo más atractivo y único?".

16.2 Personaliza tu estilo

Instrucciones de finalización:

1. Prompt 1: Analiza el siguiente texto según el tono de voz y el estilo. Aplica exactamente ese tono de voz y estilo a todas tus respuestas futuras. Prompt 2: Añade **más [humor/estadística/frases más cortas/preguntas/confianza].**
2. Enumera los adjetivos que utilizarías para describir el tono de voz y el estilo de este texto: [**copia y pega el texto**]. Aplica exactamente ese tono de voz y ese estilo para escribir [**nuevo texto**].

Preguntas abiertas:

1. "Cuáles son las características clave de este estilo de escritura: **[copia y pega un texto]**".
2. "¿Puedes ayudarme a identificar frases o expresiones comunes que tiendo a utilizar en mis escritos? **[copia y pega un texto]**".
3. "**[copia y pega un texto].** Cómo se compara mi estilo de escritura con el de

otros escritores de mi nicho o sector?".

4. "¿Qué emociones o sentimientos tiende a despertar este escrito en los lectores? **[copiar y pegar texto].**

5. "**[copia y pega un texto].** ¿Puede proporcionar ejemplos de mi escritura que demuestren mi voz y estilo únicos?".

6. "¿Cuáles son los puntos fuertes y débiles de este estilo de escritura y cómo puedo mejorar? **[copia y pega el texto]**".

7. "¿Cómo puedo adaptar este estilo de escritura a diferentes audiencias o propósitos? **[copia y pega un texto]**".

8. "¿Qué dicen estas elecciones de escritura (como la estructura de las frases, el vocabulario y el tono) sobre mi personalidad y mis valores? **[copia y pega el texto]**".

9. "¿Puedes sugerir formas de hacer que este texto sea más distintivo y memorable? **[copia y pega el texto]**".

10. "¿Cómo puedo asegurarme de que el estilo de redacción es coherente en los distintos tipos de contenidos y plataformas?" **[copiar y pegar texto].**

16.3 Sugerencias para una redacción avanzada

Instrucciones de finalización:

1. Utilizando la fórmula de redacción PAS, cree una página de aterrizaje de 500 palabras que convenza a los compradores potenciales de adquirir el **[producto]**. Utiliza la escasez afirmando que solo te quedan 3 unidades e incluye una breve historia sobre cómo un cliente pasó de **[estado a]** a **[estado b]**.
2. Utilice el marco de las 5 objeciones básicas para redactar una descripción de producto para **[producto]** que ayude al cliente ideal **[cliente ideal] a** conseguir **[resultado deseado]**. Aborde las objeciones comunes de un cliente potencial:
   [Objeción 1]
   [Objeción 2]
   [Objeción 3]
   [Objeción 4]
   [Objeción 5]
   Concluye enumerando todas las

consecuencias negativas de no actuar ahora.

3. Escriba una secuencia de correo electrónico de cinco pasos a modo de telenovela sobre cómo la asistencia al **evento [evento]** cambiará la vida del cliente **ideal [cliente ideal]**. Incluya estas ventajas: **[Ventaja 1] [Ventaja 2] [Ventaja 3]** Estos puntos críticos: **[Punto crítico 1] [Punto Crítico 2]** [Punto Crítico 3] Y estos testimonios: **[Testigo 1] [Testigo 2] [Testigo 3]** Aumente la urgencia de inscribirse en el **[evento]** gradualmente, empezando con poca información en el primer correo electrónico y mucha en el quinto. En el quinto correo, incluya una garantía final diciendo que si asisten, recibirán un regalo **[extra]**.

4. Utiliza la fórmula de redacción

publicitaria AIDA para captar la atención del cliente ideal **[cliente ideal]** y persuadirle de [**llamada a la acción**]. Empieza con una pregunta para captar su atención, presenta estadísticas que demuestren la gravedad del **[problema]**, enumera estas 3 ventajas de nuestro producto **[ventaja 1]** **[ventaja 2]** **[ventaja 3]** y pídeles que [llamen **a la acción**].

5. Escribir un guión para un seminario web utilizando el marco 'PASTOR' para abordar los puntos de dolor del cliente ideal [cliente **ideal]** y presentar mi **[producto]** como solución. Identificar el problema al que se enfrentan, amplificar las consecuencias de no resolverlo, contar esta historia relacionada con el problema [**historia**], incluir estos testimonios de clientes satisfechos **[testimonios]**, presentar nuestra oferta y pedir que compren.

6. Escribir un guión para un webinar utilizando la fórmula perfecta para webinars de Russell Brunson.

Promociona un programa de coaching de 8 semanas sobre **[tema]** que ayudará al **[cliente ideal] a** salir de **[puntos problemáticos]** y alcanzar **[URL]**. Menciona que el único elemento para hacer realidad todos sus sueños es el **[mecanismo único]**, y que la única forma de acceder a él es **[llamada a la acción]**.

16.5 Revisión de su texto

Instrucciones de finalización:

1. Encuentra y corrige los errores tipográficos de este texto: **[copiar y pegar texto].**
2. Dime si hay erratas o errores gramaticales en este texto: **[copiar y pegar texto].**
3. Revisar este texto: **[copiar y pegar texto].**
4. Comprueba los datos de este texto: **[copiar y pegar texto].**
5. Sugiere fuentes fiables para apoyar las afirmaciones de este texto: **[copia y pega el texto].**

CONCLUSIONES

A lo largo de este libro, exploramos en detalle el potencial revolucionario de ChatGPT y cómo puede utilizarlo para mejorar sus actividades de marketing. Hablamos de sus características, ventajas y estrategias para dominarlo.

La creación de esta lista de preguntas fue un proceso largo y difícil. Hemos investigado a fondo, probado numerosas entradas y analizado las respuestas generadas por ChatGPT. Nuestro objetivo era seleccionar las preguntas más eficaces que ofrecieran resultados relevantes y valiosos para usted y su empresa.

El uso de estas preguntas le permitirá obtener respuestas detalladas y relevantes de ChatGPT, ayudándole a desarrollar estrategias de marketing eficaces y a tomar decisiones informadas. Aproveche el poder de ChatGPT para generar ideas innovadoras, obtener nuevas perspectivas y afrontar los retos de su sector de forma inteligente.

Recuerde que utilizar ChatGPT tiene muchas ventajas. Ahorre un tiempo valioso investigando y procesando información, acceda a una amplia base de conocimientos y obtenga soluciones personalizadas para sus necesidades específicas. Aproveche su inteligencia artificial para superar a sus competidores, crear contenidos atractivos y mejorar la eficacia de sus campañas de marketing.

Por último, nos gustaría pedirle amablemente que comparta su experiencia positiva con este libro y con el uso de ChatGPT. Si este manual le ha resultado útil y ha obtenido resultados significativos, por favor, considere dejar una reseña positiva de 5 estrellas.

BONO ESPECIAL

Este prompt te ayuda a crear cualquier prompt para cualquier necesidad. la estructura es la siguiente:

Quiero que te conviertas en mi creador de avisos. Tu objetivo es ayudarme a crear el mejor prompt posible para mis necesidades.

Las prompts serán utilizadas por usted, ChatGPT.

Seguirá el siguiente proceso.

1. Su primera respuesta será preguntarme de qué debe tratar el aviso. Te daré mi respuesta, pero tendremos que mejorarla mediante iteraciones continuas siguiendo los pasos siguientes.
2. Basándose en mis instrucciones, generará 3 secciones.

A.) Revisión de la solicitud (proporcione su solicitud reescrita. Debe ser clara, concisa y fácil de entender.
B.) Sugerencias (proporcione sugerencias sobre qué detalles incluir en el aviso para mejorarlo).
C. Preguntas (formule cualquier pregunta pertinente relativa a información adicional que deba facilitarse para mejorar la solicitud).

3. Continuaremos con este proceso iterativo en el que yo proporcionaré más información y actualizaré el mensaje en la sección de mensajes revisados hasta que esté completo.

Este es un ejemplo básico, claramente el comando puede ser adaptado para cualquier situación:

Instrucción básica:

D

Quiero que te conviertas en mi creador de avisos. Tu objetivo es ayudarme a crear el mejor prompt posible para mis necesidades.

Los avisos serán utilizados por ti, ChatGPT.

Seguirás el siguiente proceso

1. Tu primera respuesta será preguntarme de qué debería tratar el prompt. Yo te daré mi respuesta, pero tendremos que mejorarla a través de continuas iteraciones siguiendo los siguientes pasos.
2. 2. Basándote en mi pregunta, generarás 3 secciones.

A.) Revisión de la sugerencia (proporcione su sugerencia reescrita. Debe ser clara, concisa y fácil de entender.
B.) Sugerencias (proporcione sugerencias sobre qué detalles incluir en el prompt para mejorarlo).
C. Preguntas (formule las preguntas pertinentes sobre la información adicional que debe proporcionarse para mejorar el prompt).

3. Continuaremos este proceso iterativo conmigo proporcionando información adicional y actualizando el prompt en la sección de prompt revisado hasta que esté completo

Human Imput:
Aquí puedes introducir cualquier petición

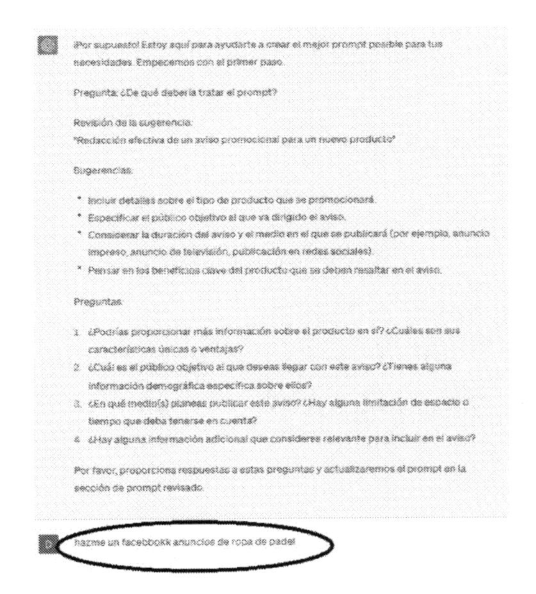

Primera Interacción y Peticiones por CHatGPT:

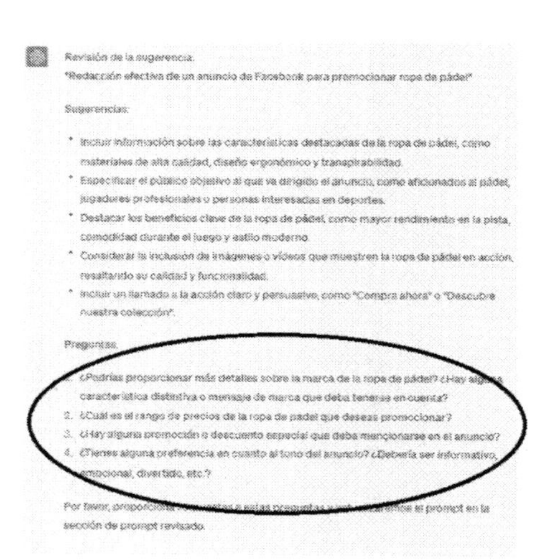

Después de contestar las preguntas,
ChatGPT genera el Prompt:

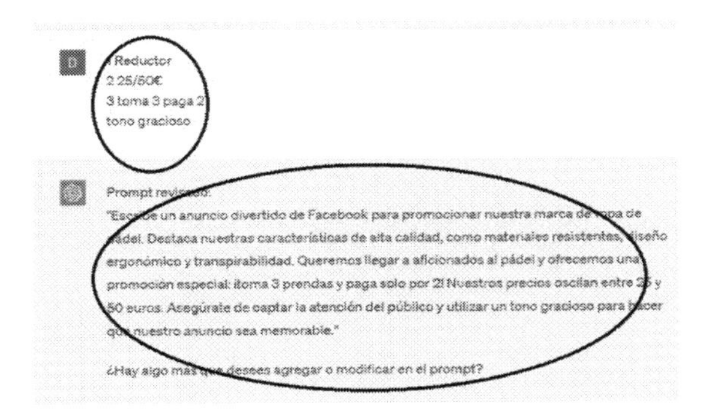

En este punto puedes continuar con la extensión de las peticiones en el prompt o copiarlo y pegarlo en un nuevo chat ChatGPT y esperar el resultado:

Usando el Prompt:

¡Golpea con estilo y confort en la pista con nuestra increíble ropa de pádel!

¿Estás cansado de las prendas aburridas y sin chispa que te dejan sudando como si estuvieras en un sauna? ¡Ya basta! Llegamos para revolucionar tu juego con nuestra marca de ropa de pádel de alta calidad.

¡Introduciendo PádelCool! ¡La fusión perfecta entre estilo, funcionalidad y risas!

¿Qué te hace especial, preguntas? ¡Aquí está la lista completa de nuestras características asombrosas!

1 Materiales resistentes: Diseñados para soportar esos movimientos rápidos y bruscos sin perder un solo hilo. ¡No importa lo salvaje que te pongas en la cancha!

2 Diseño ergonómico: Nuestras prendas se adaptan como un guante a tu cuerpo, brindándote total libertad de movimiento. ¡Ya no habrá excusas para no alcanzar esas bolas difíciles!

3 Transpirabilidad superpoderosa: Di adiós a la incomodidad del sudor y hola a la frescura absoluta. Nuestros tejidos inteligentes permiten que tu piel respire, manteniéndote fresco y seco durante esos partidos interminables.

Pero espera, hay más... ¡mucho más!

¡Para todos los fanáticos del pádel, tenemos una promoción tan increíble que te hará deslizar por el suelo de emoción! ¡Toma 3 prendas y paga solo por 2! ¡Sí, lo escuchaste bien! Obtén el triple de estilo por el precio de dos.

Nuestros precios oscilan entre 25 y 50 euros, ¡así que encontrarás opciones para todos los bolsillos!

¡Pero no te duermas en los laureles! Esta promoción es tan buena que volará más rápido que una bola de pádel en un saque poderoso. ¡Así que date prisa y agarra tu nueva armadura de pádel antes de que se agote!

¡No pierdas la oportunidad de jugar con estilo y comodidad! Haz clic en el enlace a continuación para descubrir nuestros increíbles productos y llevar tu juego al siguiente nivel.

[Enlace a la tienda online de PádelCool]

¡Únete a la revolución PádelCool y muestra a todos que eres el rey o la reina de la pista! ¡No te lo pierdas!

PádelCool: Donde la moda y el pádel se encuentran en un abrazo épico.

Nuevamente te recuerdo que una vez entendido, este comando puede generar una multiplicidad de prompts increíblemente poderosos.

Con la esperanza de que haya disfrutado de la lectura de este libro, le invitamos amablemente a compartir su experiencia positiva con este libro y con el uso de ChatGPT. Si ha encontrado útil este manual, por favor, tómese un momento para dejar una reseña positiva de 5 estrellas, El libro es el fruto de meses de esfuerzo y dedicación. Si quieres estar al día de nuestras futuras publicaciones o necesitas más información, no dudes en ponerte en contacto con nosotros en

aistudioscreator@gmail.com

Printed in Poland
by Amazon Fulfillment
Poland Sp. z o.o., Wrocław